Julien Suaudeau est l'auteur de plusieurs romans, tous publiés chez Points : *Dawa* (2015), *Le Français* (2016) et *Ni le feu ni la foudre* (2017). Il enseigne à Bryn Mawr College et vit à Philadelphie.

Dawa

*Robert Laffont, 2014
et « Points », n° P4117*

Le Français

*Robert Laffont, 2015
et « Points », n° P4394*

Ni le feu ni la foudre

*Robert Laffont, 2016
et « Points », n° P4684*

Julien Suaudeau

LE SANG NOIR
DES HOMMES

ROMAN

Flammarion

TEXTE INTÉGRAL

ISBN 978-2-7578-8075-3
(ISBN 978-2-0814-5029-5, 1re publication)

© Flammarion, 2019

En mémoire de Raymond Grosset

« L'année suivante, tu es né ; mais pas de moi, même s'il a bien failli en aller ainsi. »

Juan Rulfo, *Pedro Páramo*

« Sur son visage, le chasseur a peint le masque préféré du cerf. »

Eduardo Galeano, *Mémoire du feu*

Prologue

Ce n'est pas la montagne ; c'est la porte du désert.
Éric est mort dans cette vallée mais il ne la reconnaît pas.

La nuit qui flottait tout à l'heure au-dessus des cimes
a disparu. L'orage incendiait le ciel. Le tonnerre roulait
entre les combes. L'odeur du feu, le vent noir, la pluie
d'été : c'était comme s'il rentrait chez lui. Son uniforme
était trempé. Un loup l'attendait. Puis les crêtes et le
froid se sont évaporés. Ses habits ont séché et les éclairs
ont été effacés du ciel. La montagne s'est évanouie
comme la rosée.

Il aura rêvé. À présent, une aube d'étain pèse sur le
sable. Les étoiles sont en train de pâlir. Elles meurent
depuis longtemps, elles aussi. Orion et Sirius. Le
Chasseur et son Chien. Inutile de veiller. Quelque part,
un scorpion se faufile dans les plis de la galaxie.

« Je ne t'ai pas entendu arriver, dit Éric en apercevant
Camara, le vieux Noir balafré, assis sur le tabouret en
fer qu'il traîne partout avec lui.

– Le loup est le chien qui ne s'est pas approché
du feu, répond Camara. Ce n'est pas à toi que je vais
l'apprendre.

– Depuis combien de temps est-ce que tu es ici ?

11

– Ça n'a aucune importance.

– Et moi ?

– Tu es un idiot. Je n'étais pas là quand les Blancs t'ont abandonné aux faucons et aux jours. Il y a des moments où je me demande pourquoi je t'ai pris sous mon aile : tu passes ton temps à geindre et à te poser les mauvaises questions. Tu devrais plutôt te concentrer sur celles qui sauvent la vie.

– Je ne comprends pas ce qui m'est arrivé, reprend Éric. Je suis devant le dépôt de munitions et j'entends la voix de plusieurs hommes. Ce sont des soldats hostiles, pourtant ils portent le même uniforme que moi. La sueur et le sang dans mes yeux m'empêchent de voir leurs visages.

– Et voilà qu'il recommence ! crie Camara en tapant du pied sur le sable. Tu ne finiras donc jamais de ruminer ? On dirait une vache de ton pays.

– J'ai mal à l'épaule, là où la balle est entrée. Tu es sûr de l'avoir enlevée ?

– Petit Blanc mal cuit. Tu as l'air fort de loin, mais ton cœur est celui d'un oisillon.

– Il se passe quelque chose. »

Autour d'eux, le désert disparaît à son tour. La nuit revient. La pluie mouille les cheveux d'Éric, le vent froid s'engouffre sous ses vêtements. Le tonnerre, de nouveau, claque sur la ligne de crête. La montagne est là.

« Qu'est-ce qui se passe ? Camara ! »

Un refuge dans une combe. Le bruit de ses pas qui frappent les briques. L'odeur du feu. Le ricanement du vieux balafré, en train d'installer son satané tabouret à côté de la cheminée.

« Rallume le feu, dit-il. Je ne suis pas habitué à ces températures. Hé hé hé.

– Laisse-moi tranquille.

– Tu crois peut-être que ça me plaît d'être coincé ici ? dit Camara en se frottant les bras pour se réchauffer. Voilà bien une idée de Français ! Il faut que tu m'apprennes à faire du feu, sans quoi je vais attraper la mort. »

Éric regarde ses mains. La peau, les lignes, les veines ne sont pas à la bonne place.

« Je ne suis pas moi-même.

– Ça va passer, dit Camara. C'est normal d'être dépaysé quand on est parti depuis longtemps.

– Je veux rentrer chez moi.

– Tu y es. Va voir à la fenêtre. Ce n'est plus le désert, fils. C'est la montagne. Il y a dix ans que tu es parti, tu es chez toi aujourd'hui. Ton travail commence. »

Les rafales font trembler le montant. Il reste un seul carreau, dans lequel se reflètent les braises mourantes. Le visage d'Éric est noir comme la cendre, couvert de cicatrices. Son poing s'enfonce dans la nuit. Il a du sang sur sa manche.

« Sept ans de malheur, grince Camara. Heureusement qu'ils sont derrière toi. »

Maleterre

1970

La neige épaisse de février tombe sur le Pignals.

On est venu du village à bord des deux chasse-neige que l'agence a dû louer pour l'occasion. Les derniers lacets ont pris une éternité. Les habitations et les arbres ont commencé à s'espacer, puis la route s'est arrêtée. Le chauffeur de l'engin a hésité un instant sur le meilleur chemin. Il a fini par obliquer le long d'un tronc couché dans la poudreuse et le convoi a attaqué le mur du Chastillon.

Maître Brabois a horreur d'être brinquebalé de la sorte. Il n'aime pas non plus le froid, ni les hauteurs. Il a failli se sentir mal en se retournant pour apprécier le dénivelé – pourvu que son client ne s'en soit pas aperçu. Ce n'est pas faute d'avoir tenté de le convaincre que la montée serait plus commode par temps clair, dans un hélicoptère mis à disposition par la sécurité civile. Mais ce client est homme à avoir des idées fixes. Il a voulu aller voir là-haut. Pas dans une semaine, pas dans trois jours – sur-le-champ. L'agence Brabois & Pons est connue dans le Mercantour pour la qualité et la diligence de son service : de Barcelonnette à Menton, il n'est pas encore né, celui qui dira le contraire. Maître Brabois a mis un mouchoir sur ses réticences et a réservé les chasse-neige.

L'homme à côté de lui, un certain Pierre Lazar d'on ne sait où, inspecte les environs d'un œil satisfait. Paris ? L'étranger ? Difficile d'identifier son accent. Il a entre trente et trente-cinq ans. La température a beau être proche de zéro, il n'a sur le dos qu'un pauvre pull en coton. Les flocons se déposent en petites marques humides sur les mailles du tricot, dont le noir tranche sur le blanc qui les entoure. S'il se perd dans le blizzard, ce sera toujours ça de pris. Mais, pour l'heure, il n'a pas l'air de vouloir explorer plus haut. C'est la forêt de Maleterre qui l'intéresse. Clairsemés dans la partie supérieure de la combe, les sapins se resserrent à mi-pente et forment une couverture d'un vert dense, rehaussée ici et là par la tache claire d'un taillis de bouleaux. Leur masse dévale le flanc de la montagne et donne l'impression de s'assombrir à mesure qu'elle plonge dans ses profondeurs.

Un berger et son fils habitent le refuge devant lequel on a garé les chasse-neige.

« Reste pas là, Calixte ! Tu vois donc pas qu'ces messieurs ont autre chose à faire qu'admirer ta dégaine de morveux ? File plutôt me r'mettre une bûche au feu ! »

Aucune trace de la mère. Comment on peut élever seul un enfant dans un endroit aussi inhospitalier, c'est une chose qui dépasse l'entendement.

« Laissez, coupe le client en se tournant vers le gamin. Tu t'appelles comment ? »

Le garçon fixe Lazar de ses yeux gris et vides.

« Ben réponds, bon Dieu ! Faut l'excuser, monsieur, le p'tiot est un peu lent. L'a pas souvent l'occasion de faire la conversation depuis qu'ma femme nous a laissés. Comme j'suis d'une nature pas bavarde… Par

16

contre, si vous avez besoin, il connaît c'te montagne comme sa poche. Pour ça, c'est bien l'fils à son père. Calixte ! Montre à m'sieur Lazar l'endroit qu'tu préfères là-haut. »

Le gosse pointe le doigt vers une cavité en forme de dent, à l'ouest. Il a déjà le regard dur des pisteurs et des bergers. Depuis qu'ils sont arrivés, maître Brabois l'a surpris plusieurs fois en train d'épier leurs faits et gestes. Les yeux bizarres et le silence du gamin, le père trop affable pour être bien intentionné, leur cabane perchée à une altitude inhumaine – tout ça lui fait froid dans le dos.

« Faut qu'il vous y emmène un aut' jour. Le berger baisse la voix comme s'il allait révéler un secret antique. Quand il fait bien sec et qu'le ciel est dégagé, on voit la mer.

– Je ne suis pas venu ici pour la vue. Ce que je veux, c'est le bois. Le bois et la terre.

– C'est pas c'qui manque.

– D'ici, dit Lazar en montrant le sommet du Pignals, jusqu'à tout en bas. »

Il porte une drôle de bague à l'index. Un excentrique, sans aucun doute. Le berger baisse les yeux, penaud, rabroué comme un chiot. Quelque chose a changé dans la physionomie de Lazar. Ce n'est plus le client, pressant mais cordial, qui s'est présenté à l'improviste juste avant que l'agence ferme pour le week-end. Il contemple la montagne comme si elle était déjà à lui, avec l'assurance d'un bâtisseur d'empire. Mais de quelle terre parle-t-il ? De ce roc ingrat, trop haut pour l'estivage, trop froid pour y faire pousser autre chose que des pierres et des sapins ? Maître Brabois a commencé dans le métier il y a presque un quart de siècle, en 1947, l'année où l'Italie a cédé ce vilain domaine dont elle ne voulait plus. Les

17

élus du coin ont eu beau clamer partout que c'était une juste revanche sur les misères de la guerre, on attend toujours les géomètres pour l'inscrire au cadastre. En vingt-trois ans d'affaires, maître Brabois n'a jamais rencontré quelqu'un d'assez fou pour s'installer ici – encore moins pour imaginer que Maleterre pourrait être le berceau d'une épopée commerciale.

« Faudrait pas traîner de trop, prévient l'un des deux conducteurs depuis la cabine de son chasse-neige. La radio annonce trente centimètres d'ici ce soir.

– Je vais construire une station de ski en bas, là où la route s'arrête, dit Lazar.

– À deux mille mètres d'altitude ? » proteste maître Brabois.

L'image de barres de béton sur ces pentes désolées est absurde, et cet homme lui fait perdre son temps. Il n'a montré aucune garantie financière jusqu'ici. La plaisanterie a assez duré.

« Elle s'appellera Isola 2000. J'installerai une scierie sur l'autre versant, pour acheminer le bois dans la vallée par la route qui longe la rivière.

– La Tinée ? s'enquiert le berger. Ma foi.

– Vous pourrez rester ici, sans loyer. Je vous verserai un salaire de garde-chasse. »

Sans attendre de réponse, Lazar remonte dans son engin. La dernière chose que voit maître Brabois en jetant un coup d'œil en arrière, ce sont les yeux gris du gamin, derrière les carreaux de la fenêtre voilée par la neige.

Le loup et son maître

2016

La première bête, une génisse maigre comme l'hiver, les gendarmes l'ont trouvée il y a trois jours, le matin de la Saint-Jean. La carotide éperonnée, dans un bois à une centaine de mètres de son estive. Paulin regarde la masse obscure de la forêt autour de lui. L'animal aura été réveillé par la soif et aura descendu le vallon jusqu'au torrent de la Tinée. Une vache plus aguerrie aux alpages ne se serait pas isolée ainsi ; elle aurait fait bloc avec les autres. Sur la photo publiée dans le journal, sa robe luit comme si on venait de la tremper dans de l'huile de moteur. Le sang des bêtes qui ne sont pas à vous ne ressemble pas à du sang : de la peinture noire, épaisse et humide, renversée sur un tas de linge sale.

Paulin crache dans un fourré. L'attaque a été précise – une exécution. Le loup a mordu, achevé, puis il s'est évanoui dans la forêt sans se payer de son effort. Autour du piège, il y a des traces sur la neige fondue. Rien à comprendre : la montagne prend ou la montagne donne. On n'a pas pour habitude ici de demander pourquoi. Paulin l'a appris tout petit, en regardant la course du renard roux vers son terrier, le cou brisé de l'hermine entre ses crocs. Il en voulait au renard, mais quelque chose lui disait que son ressentiment n'avait pas lieu d'être. Les bêtes n'ont pas le privilège de tuer pour le plaisir. Même un gamin de treize ans le sait – même quand sa taille fait rire les soûlards du coin.

La lune est haute entre les branches du hêtre. C'est ici que Paulin a amorcé le piège tout à l'heure. Il essuie les poils et les bouts de cartilage collés sur les dents de métal. Comme c'est vilain, la ferraille et la mécanique, quand elles ne font pas leur travail. Cette foutue bête aurait dû rester là, à gémir sur son tibia brisé. Au lieu de quoi, elle a trouvé le moyen d'arracher l'amarre du piège, puis d'en desserrer la mâchoire. Paulin aura mal fait son compte. Qui sait ? L'incertitude s'accroche à son estomac. Le silence des arbres. Pas un souffle de vent. Le soleil a basculé derrière la crête de Saint-Sauveur, le ciel s'est gonflé d'un bleu sombre où scintille Orion – et le merle n'a pas chanté. La nuit ne tombe jamais sur les Alpes sans ce signal que tous les animaux comprennent.

Il y a longtemps que Paulin aurait dû être rentré. La peignée qu'il va prendre. Le mieux serait de se remettre en route vers la station. Mais c'est comme si l'immobilité de la forêt lui murmurait de rester. Il frissonne. On dirait qu'il va neiger. Impossible, à cette altitude, à la belle saison. Et pas un nuage. Entre deux sapins, une luciole lui fait signe. Paulin s'enfonce dans le sombre des arbres.

Courir échauffe ses muscles. Le bruit de ses pas sur les cailloux redonne un contour familier à l'épaisseur de la nuit. L'oxygène léger, moulé par l'odeur de résine et de froid, la douceur des aiguilles qui frôlent ses coudes. Tout le monde sait qu'il ne faut pas monter si haut de ce côté, si près de chez celui qu'on appelle le Forestier, le maître de Maleterre. Vue de la station, la ligne de crête se présente comme une banale succession d'arêtes et de combes. Quand on s'approche, trois sommets surgissent au détour d'un sentier, reliés par une symétrie qui a quelque chose d'anormal – comme si un monstrueux burin avait creusé le massif pour lui donner cet aspect enfoncé au pied d'un triangle rocheux. La tête de Pélevos, la tête de Pignals, la cime de Sisteron. On dit que le Forestier peut voir la mer de sa chambre, les jours de beau temps. Qu'il a perdu la tête et n'est plus sorti de chez lui depuis des années. Quand on vient de l'ouest, le parfum de la renoncule indique qu'on va franchir la frontière de son territoire. Défense d'entrer. Sur la montagne, l'avertissement est connu de tous, des bêtes comme des hommes. Pour ceux qui n'ont pas de nez, le Forestier a fait inscrire la marque de ses trois sommets sur les rochers du domaine :

Personne n'ignore le traitement que Sylvain, son fils, réserve aux randonneurs et aux braconniers qui poursuivent leur ascension sans y avoir été invités.

Paulin accélère, la pente se raidit sous ses foulées. Ses cuisses sont en feu mais il maintient l'allure, les corps des vaches et des moutons saignés à mort dansant devant lui, comme une hallucination dans la sueur de ses yeux. Après la génisse blanche, les gendarmes ont parlé de deux autres attaques dans les vallons. Il n'y a que les Ritals, d'après sa mère, pour mentir plus que les gendarmes. Ce matin, il l'a entendu dire que le PGHM avait enterré des dizaines de cadavres dans les bois. Il y en avait trop pour les transporter à l'abattoir sans attirer l'attention. Même dans la vallée, les gens commencent à causer. Paulin était en train d'enfiler ses bottes dans la cuisine quand le téléphone a sonné à l'étage. C'était le journaliste de *Nice-Matin*, la manière dont sa mère a répondu ne laissait pas de place au doute. En bas, disait-elle, ils devaient savoir ce *qu'on ressentait*. La peur. L'isolement. Le désespoir de ceux qui ont été *délaissés*. C'étaient les mots de quelqu'un d'autre : s'il y a bien une chose dont Paulin est sûr, c'est que sa mère ne parle jamais de ses sentiments.

Elle faisait des allers-retours dans le couloir, entre sa chambre et la salle de bains, répétant à ce type le refrain qu'on ânonne sur la montagne depuis que Paris a autorisé le retour du loup dans la région. Ça devait arriver tôt ou tard. Vous comprenez ? Une belle saloperie de citadins, le loup. Et nos bêtes, alors ? Paulin allait partir quand elle s'est mise à parler de l'éleveur de L'Escarène. Huit têtes perdues sur le flanc sud de Maleterre, juste au-dessus de l'endroit où la génisse avait été tuée. Huit bêtes, dont deux vaches pleines, et un mouflon qui passait par là. « Un mouflon ? » a dû s'étonner l'autre au bout du fil, parce que sa mère a répété en détachant les syllabes, *mou-flon*, comme si c'était une bombe à désamorcer, avant de décrire les ventres ouverts, les fœtus arrachés et abandonnés sur l'herbe noire. Paulin a couru à la remise. Il a déniché un des antiques pièges de son grand-père et s'est mis en route pour le domaine du Forestier.

La clairière aux bouleaux forme un triste cercle. Au-dessus des arbres, la lune est suspendue dans un ciel creux. Les étoiles ont disparu. D'où sont sortis tous ces nuages ? Là-haut, il n'y a rien d'autre que la montagne. De la pierre, de la neige, de l'herbe mort-née. Il se met à pleuvoir. La maison du maître des lieux se dresse là, quelque part, ancrée dans la nuit mauvaise.

22

Un hurlement traverse la montagne, une note continue, comme la sirène des ambulances qui emportent
les grands accidentés les jours de brouillard, quand
l'hélicoptère est cloué au sol. Paulin s'arrête, à bout
de souffle. La clairière a la tête d'un traquenard. Nulle
part où se cacher. Trop tard pour s'enfuir. Il va se faire
déchiqueter comme un morceau de viande.

Si ça n'est pas une pitié. Lui, il n'a jamais rien eu
contre les loups. Combien de fois sa mère lui a tapé
dessus parce qu'il trouvait les battues injustes ? Cent
types ivres morts, suant le génépi au lever du soleil,
arrivant à mettre un pied devant l'autre par la seule
force de leur hargne. Paulin ne bouge plus. Comme la
génisse, on le trouvera, inerte au petit matin, un trou
dans le tendre du cou. On tirera sa mère du lit. Elle
puera l'alcool et la cigarette. « Ça lui pendait au nez » :
ce sera sa première pensée. Elle ne verra pas la nuit.
Le froid. La solitude. La chair de l'orage qui enflait.
La pluie qui entrait dans ses chaussures.

La plainte se réverbère une dernière fois contre les
parois avant de dégringoler dans une combe. Paulin
attend. Il n'y a plus que le bruit de l'averse sur les
pierres. Sa peur s'éteint sous une honte glacée. Un
montagnard, quand même. Il se remet en marche vers
le sommet. Les ruines d'un refuge surgissent sur sa
gauche. La pluie cogne à travers la charpente. Il fait le
tour, pour arriver par l'amont. Seuls le mur de devant
et le pignon tiennent encore debout. Et la cheminée.
Une fumée épaisse sort de la cheminée.

Le fils du Forestier, à ce qu'on raconte à la station,
arpente lui-même son domaine avec deux de ses gardes-
chasses. Si c'est eux, Paulin leur dira qu'il s'est perdu.
Il franchit le seuil du refuge. Le loup est assis devant le
foyer en brique, tête droite, oreilles dressées. Il a l'air

de surveiller ce qui reste du feu. Ses yeux fixent les braises en train de refroidir, indifférents au visiteur et aux gouttes qui mouillent son pelage. Des poils râpés de vieux carnivore qui a vu du pays et des saisons. Il a une plaie ouverte à la patte arrière droite.

« Te voilà », souffle Paulin.

Le loup continue à l'ignorer, immobile, hypnotisé par le tison et les cendres.

« Parle-moi. Je ne suis pas comme les autres », reprend-il en s'approchant.

Il passe la main au-dessus de l'âtre. La chaleur le détend. Il fait face au loup.

Des bêtes, le sang noir. Des hommes, le sang noir.

Les animaux nous parlent et nous regardent. Il suffit de les écouter. Paulin a toujours entendu leurs voix.

Du sang, du sang, pour éteindre le feu qui me tue.

La foudre tombe sur un piton, tout près.

Quelque chose change autour de Paulin et du loup – la plus grande clarté des formes, la façon dont la pluie résonne entre les murs éboulés, le vent qui s'est levé sur les cimes. Le loup se met à remuer la queue, comme un chien qui reconnaît son maître. Le col de la Lombarde clignote sous des éclairs silencieux. Au-dessus des crêtes, les nuages filent vers la frontière, à l'est. Au nord, le tremblement d'une étoile isolée, comme une ampoule dont le filament va mourir.

Pendant quelques secondes, un éclair allume le relief d'un jour blanc. Le loup tourne la tête et traverse la petite pièce en boitant.

Une silhouette se tient sur le pas de la porte. L'ombre s'avance dans la faible lueur du foyer – un homme d'une quarantaine d'années, au visage sale et maussade. Bien d'ici. Les cheveux plus noirs que l'obscurité d'où il est sorti, grand, des épaules larges. Des yeux froids et électriques. D'étranges balafres symétriques. Il porte un uniforme déchiré, avec une tache sombre sur l'épaule.

« Pourquoi tu as piégé mon loup, gamin ? »

La pluie s'amenuise. Le grondement du tonnerre roule du côté de l'Italie. La montagne s'illumine sous les éclairs puis replonge dans l'obscurité. Paulin hésite, la gorge nouée.

« Parce qu'il a tué des bêtes.

– Elles étaient à toi, ces bêtes ?

– Ma mère est pauvre. On n'a pas de quoi nourrir un chien maigre.

– Justicier ?

– Non, monsieur. Je ne suis pas assez idiot pour croire qu'il y a une justice dans la montagne. Mais il y a un équilibre.

– Un rapport de forces, tu veux dire.

– Pourquoi il tue ces bêtes sans les manger ? »

Le soldat jette une bûche sur les braises et s'accroupit pour raviver le feu. Ses cicatrices, son profil de taureau. La masse de muscles sous son uniforme. L'insigne sur sa manche. Cet homme, Paulin l'a déjà vu.

« Parce qu'un jour où ils avaient fini leurs rondes, ceux de Maleterre ont tué sa femelle et ses petits », dit le soldat en se redressant, les paumes noires, la face couverte de cendres.

« Puis ils lui ont coupé la langue et l'ont attaché à un pieu, sur le glacier, au milieu des cadavres de sa meute. Comme ça, parce qu'ils n'avaient rien de mieux à faire. Ces loups vivaient là-haut, loin du bétail, en se partageant des rongeurs. Un chamois, peut-être un chevreuil égaré. Le loup ne demande pas beaucoup pour vivre. Celui-ci était à moitié mort de froid quand je l'ai trouvé.

– Les gens du Forestier ?

– Ils m'ont fait la même chose autrefois. Je vais les saigner un par un et je les regarderai crever pendant que cette bête leur bouffera le foie. »

Le tigre cousu sur les loques. Le chiffre 27, comme 27e bataillon des chasseurs alpins. Le soldat de la station mort en Afrique, il y a dix ans, quelque part au sud du Sahara. La mère de Paulin a gardé les coupures de presse dans un tiroir. Un ministre était descendu de Paris pour la cérémonie. Professeurs et élèves avaient observé une minute de silence dans la cour de l'école, pendant qu'on abaissait le drapeau devant le monument aux morts et un cercueil vide.

« Tu sais poser un piège, petit. Mais tu te mêles de ce qui ne te regarde pas. Maintenant, tu vas retourner là-bas. Tu vas leur raconter ce que tu as vu ici. Tu vas leur répéter ce que je t'ai dit. Mot pour mot. Ensuite, tu m'oublieras. »

Le loup s'est endormi. Le soldat tire un couteau de sa botte et se met à l'aiguiser. Son prénom était sur toutes les lèvres, à l'époque. On l'appelait aussi le Chasseur. Cette nuit, c'est un diable aux cicatrices remplies de suie.

« Qui êtes-vous ?

– C'est la guerre, gamin. Tu ferais bien de laisser tomber les mauvaises questions. Concentre-toi sur celles qui sauvent la vie. »

Trempé jusqu'à l'os, Paulin pousse la porte du Ravin et s'affale sur une chaise. Il y a encore six ou sept gars au comptoir. Le patron astique le canon de sa .22 Long Rifle. Il nettoie un verre. Le canon. Un verre. Le canon. Un verre. Ainsi va la nuit depuis que le Ravin est le Ravin.

Les hommes rient en voyant l'intrus et leur conversation se ranime :

« Non mais t'es pas. Dis !

– Crotté comme un poulain qui sort des limbes.

– Bien après minuit !

– Un autre !

– Pour sûr, qu'il est.

– Il a l'œil.

– Il a les fils qui s'touchent, oui.

– Un murin pour lui ronger la cervelle.

– Foutez-lui la paix.

– Ça bourdonne là-dedans.

– Rentre chez toi, gamin.

– Dehors dans c'te suée.

– C'est pas joli. T'as vu là-haut.

– Ho ! Un autre, non ! J'ai demandé hier.

– Il en gagne pas, ce gosse.

– La giboulée qu'elle va lui mettre.

– Elle fait pas semblant.

– Un autre, que j'ai dit !

– On en connaît des gars qui cognent pour de faux.

– Et à qui tu penses ? Attends voir.

– La Diane, elle dit toujours la vérité.

– J'aimais bien quand.

– Assise juste là, à te r'garder par en dessous.

– Comme si elle te cognait des yeux.

– Avec son ventre gros comme ça.

– C'qu'elle pouvait envoyer.

– Du bois. Elle en avait dans l'tronc.

– Pas étonnant que l'gosse il est un peu drôle.

– Ta gueule.

– Moi j'aimais bien quand.

– Moi aussi.

– Une fois elle.

– Ferme ta gueule tu veux.

– Viens ici, petit Paulin.

– Un autre.

– Ho, Paulin ! J'te cause.

– Te fatigue pas. Il parle la langue des bêtes et des chemins. Pour le reste, ma foi.

– Paulin. Dis-nous qui c'est, ton papa ? »

Leur rire se répand entre les tables vides, jusqu'à lui.

« Fais pas l'innocent, dit l'un. Tout l'monde sait qui lui as mis la mauvaise graine à c'te canicule.

– Elle en avait jamais assez, dit l'autre. On s'croisait tous les soirs devant chez elle, pas vrai ? Tu sortais et j'rentrais. Pendant qu'elle se r'faisait belle.

– Vous avez bu un coup de trop, vous deux. La Diane, c't hiver là, elle s'couchait et elle s'réveillait avec moi. On dormait pas beaucoup.

– Viens voir tes papas, fils ! »

Paulin les défigure par la pensée, mais ses mots n'ont pas la force des coups qui pleuvent dans sa tête :

« Allez-y, rigolez.

– Tu dis ?

– Continuez à salir vos verres avec la morve que vous êtes. »

Les deux qui ont l'alcool le plus mauvais, un roux au crâne dégarni et un petit trapu, s'assoient à côté de lui. Le roux remplit un verre à ras bord et lui met sous le nez.

« Bois.

– Bois ou même ta mère reconnaîtra pas ta gueule de bâtard !

– J'vais tellement te tanner le cuir qu'elle osera plus y toucher pendant un mois.

– Les choses vont changer, ici. »

28

Le petit trapu lui attrape la gorge avec sa grosse main de bûcheron et se met à serrer.

« Répète voir. Tu m'fais peur.

– Le Chasseur est revenu. Je l'ai vu. Je lui ai parlé.

– Plus fort. J'entends rien, avec ta voix de fillette !

– J'ai vu le Chasseur. Le loup lui obéit. C'est son maître. Il revient pour...

– C'est quoi c'fumier qu't'as dans la tête ? Hein ? Bois, petit Paulin ! Bois donc, si tu veux qu'les poils te poussent au cul. »

La main de bûcheron lui écrase le larynx pendant que le roux lui enfonce le goulot dans la bouche. Le vert de la Chartreuse dégouline des lèvres de Paulin.

« Le Chasseur est revenu pour vous faire la peau.

– Continue comme ça et on t'la fait manger, la bouteille.

– Fous-lui jusqu'à la glotte, ça lui apprendra !

– Ferme ta gueule. »

Un homme que Paulin n'avait pas remarqué en entrant est debout devant lui.

« Lâchez-le, abrutis. »

D'un coup de pied, il envoie valser la chaise du bûcheron. Paulin lève la tête et reconnaît Calixte – l'homme de confiance de Sylvain, le chef de ses gardes-chasses.

« Il y a des mots qui ne se prononcent pas à la légère par ici, dit-il en prenant la place du roux. Qu'on lui apporte de l'eau ! Paulin, regarde-moi. Je veux savoir ce que tu as vu là-haut. »

Ses yeux gris n'ont pas besoin d'insulter ni de menacer pour qu'on lui obéisse.

« J'étais sur la trace du loup. À Maleterre.

– Tu ne sais donc pas que le domaine est interdit aux étrangers ?

– Avec l'orage et la nuit, je me suis perdu.

– Tu mens. On verra ça plus tard.

– Il y a un refuge abandonné dans la combe du Pignals.

– Et puis.

– Le loup attendait là, sous la pluie, devant un tison. Je suis entré. On aurait dit qu'il ne me voyait pas. Il a commencé à s'agiter. Un homme est arrivé, comme un fantôme. Le loup lui a fait la fête. L'homme, il avait l'uniforme des chasseurs, le 27e bataillon. Il était blessé. Il a rallumé le feu comme ça. Il s'est peint le visage en noir avec de la cendre et m'a dit de redescendre ici pour dire ce que j'ai dit.

– Sa blessure. Montre-moi où elle était. »

Paulin passe la main sur son épaule et sa clavicule, du côté droit.

« Et il s'appelait ? »

Au bar, plus personne ne parle. Les verres et les bouteilles sont figés. Le patron a posé sa carabine sur le zinc.

« Je ne me souviens pas de son nom mais je sais que c'est lui. J'ai vu les photos. »

Calixte se lève et sort sur le parking, son portable à la main. Les autres ressemblent à une portée d'agneaux abandonnés par leur mère. Dans leur regard, sur leurs lèvres, il y a le nom que Paulin a oublié.

Dehors, il se cache derrière le pick-up du patron. Calixte est au téléphone. Au-dessus de la montagne, Orion a le feu de vingt soleils, comme si elle fonçait sur la Terre. Paulin entend ces derniers mots :

« ... si Éric est de retour. Tu ne veux pas l'entendre mais je te le dis quand même : ton frère mérite de se venger. Et nous, nous méritons de mourir. »

L'Italienne

1973

La tête lui tourne. Si Flo ferme les yeux, elle se croit revenue à l'enfer des trois premiers mois, quand les nausées la prenaient sans prévenir. Elle ne peut pas se permettre d'être malade. C'est le grand jour : il faut faire bonne figure.

Tout ce que le département compte de gens importants, de décideurs, de chefs d'entreprise, d'intermédiaires et de courtisans, tout ce beau monde est là pour l'inauguration. Un sous-secrétaire d'État à l'Équipement. Deux douzaines de journalistes. Une poignée de célébrités qu'elle a vues à la télévision ou dans les magazines. Cette effervescence la laisse indifférente. Sur le chemin de la cérémonie, Pierre lui a répété qu'elle pourrait y mettre un peu du sien. Tu parles. Lui, il aurait pu en mettre un peu moins dans cette salope d'Italienne qui va accoucher trois semaines avant elle.

Ce n'est pas juste. Elle a eu tant de mal à tomber enceinte. Au début, après le mariage, Pierre était doux, protecteur, patient – un seigneur à l'ancienne. Elle aimait ses élans chevaleresques. Pierre rendait tout plus vivant autour d'elle. Il la consolait, il la rassurait en disant que ça finirait par venir. Puis elle l'a senti qui

31

s'éloignait. Il n'y a pas eu de scène. Pierre a commencé à rentrer plus tard, à se coucher quand elle dormait, à dire qu'il était fatigué quand elle l'attendait. Le chantier lui bouffait toute son énergie : combien de soirs a-t-elle entendu cette excuse, avant qu'il éteigne la lumière ? Les ouvriers qui tiraient au flanc. Les fournisseurs qui ne respectaient pas les délais. Les matériaux qui arrivaient endommagés ou manquants. Les inspecteurs de la DDE qui lui mettaient des bâtons dans les roues malgré les belles paroles des politiques. La météo qui n'en faisait qu'à sa tête, entre le gel, les tempêtes de neige et les avalanches. La montagne elle-même, qui ne se laissait pas soumettre. Il fallait creuser, terrasser, remblayer sans cesse. Flo savait qu'il n'en pensait pas un mot, qu'il aimait sa station en train de se construire, par-dessus tout, de plus en plus, et que pendant ce temps il s'était mis à l'aimer moins, elle.

Un jour, il y a six mois, elle est revenue d'une promenade autour du lac de Terre rouge, tout près de la frontière. On était en avril ; la gentiane et le séneçon avaient éclos en avance. Elle s'est arrêtée à mi-chemin, pour écouter le silence avant de redescendre dans le vacarme du chantier. Elle a touché l'herbe fraîche et senti le pollen des jeunes fleurs. La montagne était couverte de jaune et de bleu. C'est là qu'elle s'est rendu compte qu'elle était en retard. À Auron, la pharmacienne lui a vendu un tout nouveau produit au nom imprégné d'inéluctable – « test de grossesse ».

« Faites voir vos yeux, a dit la bonne femme en s'approchant. C'est bien ce que je me disais. Ils sont de la même couleur, maintenant. Vous n'aviez pas remarqué ? »

Rentrée à l'appartement, Flo a vérifié que Pierre n'était pas là. Elle pleurait en sortant des toilettes. Elle s'est lavé les mains et le visage dans la salle de bains. Le miroir a confirmé ce que la pharmacienne avait dit : quelque chose d'autre avait changé en Flo. Le marron de son œil gauche avait disparu, remplacé par un vert un peu plus clair que celui de son œil droit.

« Flo, ma chérie, tu ne devrais pas rester debout. Je t'apporte une chaise. »

Saluant les notables à qui il a vendu ou fait vendre un bien immobilier, son père traverse la terrasse au-dessus du Front-de-Neige. C'est Pierre qui a eu l'idée de cette appellation. Il n'en est pas peu fier. Mais la première neige se fait attendre : déjà fin octobre et l'herbe est toujours là. On s'inquiète pour les vacances de Noël.

Flo a beau n'avoir aucune envie de s'asseoir, elle ne veut pas contrarier son père. C'est fou comme il a vieilli ces dernières années – depuis l'arrivée de Pierre. Elle va mettre au monde l'enfant du roi de Maleterre, et pourtant il y a des nuits d'insomnie où elle voudrait qu'il ne soit jamais venu, que son père ne lui ait jamais montré cette montagne qui est maintenant à lui.

« Tu as l'air fatigué, Papa. C'est toi qui devrais t'asseoir. Où est Maman ?

– Elle bavarde quelque part. Les relations publiques, c'est son territoire. Je ne suis bon qu'à enregistrer des actes. Tu es heureuse, ma chérie ? »

Il lui faut s'accrocher à toute sa colère de femme trompée pour donner le change :

« Bien sûr, Papa. Qu'est-ce que je pourrais avoir de plus ? »

Elle a attendu plusieurs jours avant d'annoncer à Pierre qu'elle était enceinte. Ils dînaient dans la cuisine de leur petit appartement à l'entrée du village d'Isola

– un poulet rôti qu'elle avait réchauffé à dix heures passées.

« Il faut être prudent, a-t-il dit sans la regarder. Ces machins-là ne sont pas fiables.

– Je suis allée chez le médecin. Il n'y a aucun doute. Je suis enceinte.

– Le pied-noir qui a repris le cabinet d'Auron ?

– Eh bien ?

– C'est cet idiot que tu es allée voir ? »

Elle s'est levée et a rincé son assiette dans l'évier pour ne pas avoir à lui faire face. Pierre a continué à découper son morceau de poulet. Il lui avait pourtant dit mille fois qu'il pourrait mourir en paix le jour où il aurait un héritier : un empire, un héritier. Un empire ne vaut pas d'être bâti si on n'a personne à qui le transmettre.

Avant d'aller se coucher, elle a ajouté qu'ils pourraient bientôt savoir si c'était un garçon.

Flo se doutait depuis un moment qu'il devait y avoir une autre femme. Elle gardait une image très nette du visage de Pierre la dernière fois qu'ils avaient fait l'amour : un masque soucieux, absent. Cela faisait plusieurs semaines qu'elle le sentait moins dur en elle. Lui, il ne donnait pas l'impression de s'en apercevoir. Il se retirait et s'en allait pisser ou bien roulait sur le côté pour s'endormir. C'était naturel de mettre ça sur le compte du surmenage. Mais ce soir-là, elle avait su sans l'ombre d'un doute que c'étaient ses sentiments, tout ce qui l'avait tendu vers elle depuis leur rencontre, qui étaient en train de se ramollir.

« Je ne sais pas ce que j'ai », c'est tout ce qu'il avait dit.

Il s'était couché en chien de fusil, une main sur le front. Elle non plus ne trouvait rien à ajouter pour les sortir de ces sables mouvants. Tout ce qui était en son pouvoir, c'était de fixer le sexe de son mari, rabougri comme une pâtisserie de la veille, de sentir les petites dents de la rancune et du dégoût de soi lui grignoter l'estomac. Il la trompait, sans doute. Mais il y avait pire : l'idée que l'enfant qu'elle portait fût le fruit d'un désir éteint, projeté dans le monde à l'état d'avarie, par une pauvre et tiède semence ; que cet enfant, du jour où il naîtrait, lui rappellerait la fin de son bonheur et le début des jours sombres.

Un matin de juin, la secrétaire de Pierre a appelé Flo pour lui demander de déposer au chantier des documents qu'il avait oubliés chez eux. C'était urgent – des permis de construire qui devaient être signés et envoyés à la DDE. Flo est arrivée à la pause déjeuner. Des ouvriers mangeaient leur casse-croûte au soleil, les pieds dans le vide sur un échafaudage au-dessus du Front-de-Neige. Ils ont applaudi quand elle a ouvert son coffre pour montrer les packs de bière achetés en chemin. Elle leur a demandé où était Pierre :

« Il est descendu vérifier des câblages dans la gare de la télécabine. »

Le hangar des œufs brillait comme un instrument chirurgical sur le flanc de la montagne. Le nom de la station se dessinait déjà, à côté du logo d'un skieur en position de schuss, la tête couverte par un casque de descente. Flo n'aimait pas cette publicité. Elle la trouvait trop sérieuse, trop compétitive pour un lieu de vacances. Et puis, le visage fermé du skieur lui rappelait celui de Pierre au-dessus d'elle et tout ce qui les séparait depuis ce soir de débâcle.

Elle est entrée dans le bâtiment. Les cabines étaient serrées les unes contre les autres sur la zone de retour et d'envol, comme sur un roulement à billes. Malgré le prix inférieur des téléphériques installés dans les autres stations de sports d'hiver, Pierre avait défendu jusqu'au bout son système d'œufs. Il aimait l'idée que les skieurs puissent y monter en couple ou en famille. Qu'ils se reposent et se sentent à leur aise, dans leur cocon, avant de retourner sur les pistes.

« Vous ne connaissez pas les Parisiens, expliquait-il aux maîtres d'œuvre dubitatifs. Je peux vous dire que ces gens-là ne viennent pas au ski pour se retrouver les uns sur les autres comme dans le métro à l'heure de pointe.

– Pierre ? »

Elle a entendu l'inquiétude dans sa propre voix résonner à l'autre bout du hangar. Puis il y a eu un bruit métallique du côté du tremplin, là où les cabines quittent leur rail pour se propulser sur le câble.

« Pierre ? »

Elle s'est approchée. Elle serrait les dossiers contre sa poitrine. C'est lui qui est sorti le premier de la cabine, avec son expression de skieur masqué. La fille est restée assise à l'intérieur. Elle regardait Flo. Une brune à la peau très mate, infirmière sur le chantier. Des yeux noirs en amande. Les cheveux courts.

Enfin, elle s'est décidée à descendre de l'œuf. Elle était plus grande que Flo – c'était bizarre pour une Italienne. Une ligne d'épaules droite, de petits seins. Une musculature sèche de montagnarde. Puis Flo a vu la rondeur de son ventre. Le ventre de cette fille était déjà rond, alors que le sien ne voulait pas grossir.

Deux enfants du même homme. Flo regardait ce ventre et l'enfilade des pylônes qui grimpaient à pic sur l'autre versant comme autant de preuves de sa défaite. Elle était la première, la légitime, la régulière ; elle avait perdu, et son enfant aussi. L'autre naîtrait avant

36

et Pierre en ferait son héritier naturel. Ça tombait sous le sens. Pourtant, la vérité était tout autre : deux enfants de l'hiver, qui n'auraient pas dû venir au monde.

Pierre a insisté pour inviter à l'inauguration tout le personnel qui travaille depuis trois ans à Isola 2000, mais l'Italienne n'est pas là. Il a dû lui demander de rester chez elle. Ou elle préfère se tenir à distance. Peu importe. Aujourd'hui, une station est née. Les accolades et les toasts se succèdent. Les fées de la montagne se penchent à tour de rôle sur le berceau : toute cette cupidité, sous l'apparence de la bénédiction. Pierre leur sourit, en prend un par le bras, tape l'autre dans le dos. Ils se croient plus fins que lui, plus retors. Ils le voient en joueur flamboyant, un peu épais, chanceux dans son bluff. Ils s'imaginent qu'ils le dépouilleront de son bébé à la première occasion. Comme ils se trompent. Pierre ne fera qu'une bouchée de ces parasites. Les banquiers, les élus, les assureurs, ils se réveilleront avec les os broyés. Ils n'ont aucune idée de l'homme auquel ils ont affaire.

Elle hait la brûlure d'amour qu'elle ressent encore à la pensée de sa force et de son pouvoir. Six mois de silence n'ont pas suffi à l'en guérir : en dépit de ce qu'il lui a fait, de l'absence de remords, elle reste la femme de cet homme-là. L'autre a déjà trouvé le prénom de son fils : Éric. Celui de Flo s'appellera Sylvain. L'homme des bois. Pourquoi est-ce que l'Italienne n'a pas choisi un prénom de son pays ? Est-ce que Pierre a eu son mot à dire ? Depuis le début, il répète qu'il ne reconnaîtra pas cet enfant. Qu'est-ce que ça signifie au juste ? Pas de nom du père sur l'acte de naissance ? Pas d'argent ? Pas d'amour ? Pierre fera ce qu'il voudra, comme toujours. Ainsi vivent les seigneurs.

Il ne se cache pas pour aller voir l'Italienne. Depuis que Flo et Pierre ont emménagé dans le Bunker de Maleterre – six cents mètres carrés creusés dans la montagne –, tout le monde sait quel jour et à quelle heure il descend retrouver sa maîtresse au Hameau, le complexe de résidences principales qu'il a fait construire au-dessus de la station. Il héberge gratuitement l'Italienne dans un petit pavillon. Est-ce qu'il la baise encore, à sept mois et demi de grossesse ? Même s'il est amoureux d'elle, il doit en avoir une autre, plusieurs, avec qui il couche quand il s'en va à Nice ou à Paris. Ce n'est pas celles-là dont Flo est jalouse. Il ne leur fera pas d'enfant. Là-haut, au pied de la tour avec vue sur la Méditerranée, il y a un hélicoptère qui attend le jour où Flo mettra le sien au monde. Quand il bouge dans son ventre, elle pose la main à l'endroit où elle sent un pied, une main, et elle lui promet que rien ni personne ne lui prendra jamais ce qui est à lui.

« Chers amis ! »

La voix imbibée du maire d'Isola la tire de sa rêverie. Elle se lève, trop vite, et voit des taches noires.

« Je vous demande de faire un accueil triomphal au père d'Isola 2000, M. Pierre Lazar ! »

Pierre monte sur la scène aménagée à l'entrée de la télécabine. Il salue le maire et le sous-secrétaire d'État. On lui passe un micro. Les applaudissements et les clameurs, au lieu de retomber, continuent de plus belle. Pierre se tient immobile au centre de l'estrade. Il regarde au-delà de la foule – vers sa montagne. Puis il tourne la tête dans la direction de Flo, un tendre sourire aux lèvres.

« S'il ne s'était pas arrêté chez nous, ton mari serait devenu président de la République. »

C'est son père qui lui parle, mais Flo ne l'entend pas.

« Je ne suis pas très à l'aise avec les mots », commence Pierre. Elle ne reconnaît pas sa voix.

Autour d'elle, les gens se retournent en murmurant quelque chose à l'oreille de leur voisin. Leurs regards sont des lames qui lui déchirent la chair. Elle n'arrive plus à respirer. Ses tempes bourdonnent. Le sol s'ouvre sous ses pieds.

En reprenant conscience, Flo a l'impression que son père l'appelle d'un autre continent :

« Tout va bien, ma chérie. Je suis là. »

L'hallali du cerf

1985

La neige tombe sur le pull noir du Forestier. Avant qu'il ait un fils, et avant que ce fils grandisse, les gens disaient « Monsieur Lazar » ou « Monsieur Pierre ». Le père de Calixte, comme tout le monde, saluait le patron en rentrant un peu la tête dans les épaules. Calixte avait honte de cette servilité. Chaque fois que Monsieur Pierre passait chez eux, au Pignals, ou que son père l'emmenait au Bunker, l'enfant restait muet. Le silence était sa façon de sauver l'honneur de la famille. Sa mère ne se serait jamais aplatie comme ça devant qui que ce soit, même devant le seigneur de la montagne.

Et puis un jour, en voyant Sylvain à skis devant la station, quelqu'un a dit : « Tiens, v'là l'fils du Forestier. » Le nom est resté. Sylvain devait avoir six ou sept ans à l'époque. La scierie était ouverte. Le bois de Maleterre voyageait déjà à travers toute l'Europe et rapportait cinq fois plus d'argent que la station. Ça ne coûte rien, les arbres. Monsieur Pierre l'avait compris bien avant qu'on lui trouve son surnom. Aujourd'hui, il y a longtemps que Monsieur Pierre n'existe plus. Calixte, comme son père autrefois, est devenu un des hommes du Forestier.

La respiration calme et l'œil dans le viseur, Éric attend l'ordre. C'est l'hallali debout.

« Bloque. Maintenant. »

Le coup de feu se réverbère du côté du Pélevos. Les épaules du Forestier se détendent. Il essuie la neige de ses genoux et se redresse en scrutant les sapins.

« Vas-y. »

Éric, le bâtard, disparaît au pas de course dans le sous-bois. Il a tiré la lame de son fourreau dès que le Forestier lui a donné la permission d'aller achever le cerf.

« Sylvain. »

Le fils du Forestier a le col de son anorak remonté jusqu'au nez. Il est accroupi contre un arbre. Calixte ne voit que les yeux et le front du garçon – le front bombé de sa mère. Tout le reste de son visage, il l'a pris à son père.

« J'ai pas envie.

– Tu vas avec Éric », dit le Forestier sans se retourner.

Sylvain le regarde avec son air buté. Depuis tout petit il fixe le dos noir de son père en attendant une réponse qui ne vient pas. La neige qui tombe sur leurs épaules est la seule langue qu'ils ont en commun.

Calixte adresse un signe de la tête à Sylvain. Le Forestier arrête son fils quand ils passent à sa hauteur.

« Tu vas avoir douze ans. Il est temps que tu deviennes un homme.

– J'ai pas besoin de la chasse, dit Sylvain en repoussant le bras de son père. J'en ai pas besoin pour savoir que je suis un homme. »

Ils entrent dans le sous-bois. Éric est là, un peu plus loin, la bête blessée à ses pieds. La balle est entrée par la poitrine et ressortie par l'omoplate. Un sang épais et sombre jaillit de la blessure. Sa chaleur fait fondre la neige sous le corps du cerf. Ses yeux sont grands ouverts. Ils regardent Éric, qui a son couteau à la main. Quelques centimètres sous la plaie, la peau de l'animal est soulevée par de petites décharges électriques. Les pattes et le reste du corps sont déjà inertes.

Sylvain rejoint Éric. Le bâtard, plus grand, a le cou large et la musculature de son père. Le fils légitime en a les expressions, le teint clair et les cheveux châtains. Les cheveux d'Éric ont toujours été noirs et il a la peau mate de sa mère, l'Italienne. Les deux garçons ont les yeux sombres du Forestier, mais il y a entre eux le monde qui sépare l'enfant de l'adulte. Éric sait. Sylvain croit qu'il suffit de le regarder pour savoir. Il aime le duvet qui dessine comme une ombre sur la bouche de son demi-frère. Son odeur quand il a couru. Sa voix d'homme. En marchant dans les pas d'Éric, il pense qu'il deviendra comme lui.

« Qu'est-ce que vous attendez ? demande le Forestier. Vous croyez peut-être lui faire un cadeau en le laissant crever devant nous ?

— Ce n'est pas un cerf, répond Éric.

— Qu'est-ce que tu dis ? »

Éric fait un gros effort pour ne pas sangloter.

« Quand j'étais petit, vous m'avez dit qu'on ne sait jamais si un animal est juste un animal ou si c'est un dieu de la forêt.

— Et alors ?

— Je m'en souviens aussi », murmure Sylvain.

La respiration du cerf s'est transformée en râle.

« Je n'ai pas su le reconnaître, dit Éric en touchant les bois de l'animal. La lunette de la carabine, elle ne voit pas les dieux.

— Des contes pour enfants ! s'emporte le Forestier. Et pourquoi est-ce que vous ne voulez pas grandir tous les deux ? Cette forêt est à moi, pas aux dieux. Il n'y a que des hommes et des enfants ici. Achève-moi cette bête avant qu'elle meure toute seule ! »

Le Forestier a beau regarder Éric, il donne l'impression de parler à Sylvain.

« Je ne veux pas », souffle Éric. Son couteau tombe dans la neige.

« Ramasse », ordonne son père. Il n'y a pas de doute : c'est à Sylvain que cet ordre s'adresse.

L'œil du cerf commence à se voiler, mais il fixe Éric. Nul ne peut empêcher ce qui va se passer, mais il faudrait l'empêcher. Pas par compassion pour le cerf. Pas pour protéger les deux garçons. Parce que ce sang, un jour, leur retombera dessus.

Depuis que son père est mort, Calixte n'a jamais eu à se plaindre du Forestier. Il avait douze ans, l'âge d'Éric et Sylvain aujourd'hui, quand ils sont nés. Il n'est ni un frère ni un fils. Il vit seul et à l'écart. Il ne fait pas partie de la famille, pourtant il comprend le Forestier mieux que ses enfants. Il n'y a rien à faire ni pour le cerf ni pour les deux garçons, alors il ferme les yeux et il écoute, il laisse la forêt regarder les hommes.

Le Forestier va ramasser le couteau, glisser le manche dans la main gauche de Sylvain et serrer cette petite main à l'intérieur de son poing. Le garçon va se débattre comme une truite sortie du ruisseau. Ils vont s'agenouiller à côté du cerf. Le Forestier va amener le tranchant de la lame sur le tendre de son cou. Il va dire –

« Maintenant »

et un rideau noir va tomber sur leurs vies de coupables.

Calixte rouvre les yeux. Le monde est comme il s'y attendait. Éric, debout, pleurant en silence. L'œil vide du cerf. Les petites bulles le long de sa gorge lacérée. La neige sur le pull noir du Forestier.

Le pauvre Sylvain, les mains fumantes et couvertes d'un sang sacré, épouvanté par la démesure du crime qu'il vient de commettre.

Sylvain

2016

« Le gamin a dit la vérité. »

Calixte, accroupi, les mains jointes, lit dans les empreintes noires que le fantôme a laissées sur le socle de la cheminée. Il ramasse un peu de suie, sent le bout de ses doigts, ferme les yeux.

« C'est Éric », dit-il en levant le bras vers la montagne.

À la chasse, dans la forêt, Sylvain a vu Calixte faire ce geste vague des milliers de fois. Calixte le méticuleux, ses scrupules et sa loyauté en bandoulière. Jusqu'à sa mort, il restera fidèle aux Lazar, à leur nom et à la montagne qui est à eux.

« Il attend. Il nous regarde.

– Ça ne te fait rien ? demande Sylvain. Il est entré chez toi comme une bête. Il a traîné ses bottes crasseuses partout sur le sol de ta maison. Il a fait un feu dans ta cheminée. Toi, tu restes calme. Tu te mets à sa place. »

Calixte plisse les yeux :

« Cette cabane, dit-il en scrutant la façade du Pignals qui luit sous le soleil. C'est du bois pourri et des cailloux. J'en suis parti il y a vingt ans. Toutes les bêtes de la montagne peuvent y creuser leur terrier si ça leur chante. Même mon père…

45

« – Ton père ?

– Il était locataire. Comme moi aujourd'hui. C'est ta terre, tes murs qu'Éric a violés.

– Ne prononce pas son nom ! »

La vieille peur de l'Ennemi. L'envie, la jalousie, la colère de ne pas être lui. La honte et la haine de soi. Ces furies n'ont jamais quitté Sylvain. Quand sa mère était encore de ce monde et qu'ils dînaient ensemble, là-haut dans la salle à manger du Bunker, il voyait tout dans les yeux du Forestier. Son fils lui manquait : le vrai, celui qu'il avait fait par amour avec la femme venue de l'autre côté. Le Forestier s'en voulait de n'être pas avec eux. Il aurait pu partir, ou mettre sa famille à la porte. Il en avait le pouvoir, peut-être même le droit, mais il avait pris une décision et il s'y tenait.

« Mes hommes sont en position là-haut, dit Calixte. Changement d'équipe à minuit, huit heures, seize heures. Tu ne te déplaces jamais seul. Une chasse, la station, la vallée : tu me préviens. J'enverrai quelqu'un.

– Qu'ils rentrent chez eux ! Je n'ai besoin de personne. Et qu'est-ce que c'est que cette histoire de loup ? »

Ils sont ressortis de la ruine. Le soleil renversé sur le blanc du glacier leur brûle les yeux.

« Tu ne te rappelles pas ?

– De quoi est-ce que tu parles ? »

Les furies se réveillent, coups de marteau dans les tempes à chaque battement de son cœur. Sylvain a envie de vomir.

« C'est peut-être mieux comme ça. »

Brave Calixte, fidèle garde du corps. Ce que Sylvain connaît de la montagne, il l'a appris de cet homme. D'Éric, aussi, mais il ne veut pas de ce savoir. C'était le rôle du Forestier de le lui transmettre. Il n'y a pas

46

de dieux dans la forêt : il n'y a que les hommes et les bêtes. Le bétail, le gibier et les prédateurs. Là-haut sur le glacier, dans la tempête de neige, les deux petits du loup regardaient leur mère. Sylvain se souvient de la douceur de leur poil sur le haut du crâne, de la pointe des oreilles, de la peur qui vibrait entre leurs côtes. Ils regardaient leur mère tenue à plat ventre par les grosses mains des gardes-chasses et ils appelaient leur père. L'écœurant besoin de tendresse, la fragilité. Les ricanements ivres des hommes de Calixte. Leurs hurlements sinistres. Il y avait de quoi en être malade.

« Ton frère ne peut rien contre toi au Bunker, dit Calixte. Il le sait. Il ne faut pas t'exposer.

– Ce n'est pas mon frère. C'est l'Ennemi. »

Au cœur de l'hiver, les yeux des gardes-chasses ricanaient, eux aussi. Jamais ils n'auraient regardé Éric de cette façon. La neige tombait de plus en plus épaisse. Les poils d'un des louveteaux dessinaient une spirale le long de sa colonne vertébrale. C'est le visage de l'Ennemi que Sylvain a vu quand il lui a brisé la nuque.

Sylvain entre dans la scierie dans la foulée de Calixte. On a entassé les troncs pourris devant le terminal. Les premiers bois que le Forestier a vendus, ce sont les sapins qu'il a fait abattre pour tracer la route jusqu'ici. Les versions divergent sur le nombre d'architectes renvoyés pour avoir demandé en vertu de quelle idée bizarre on construisait à une telle altitude alors que la marchandise devait redescendre dans la vallée.

Sylvain décolle une mousse noirâtre de l'écorce.

« Ça a commencé avant-hier, explique le directeur des opérations. On a mis les pièces touchées en quarantaine. Brûlées dans l'après-midi. Le système de refroidissement a été activé, on a doublé la ventilation, mais les champignons ont continué à se répandre sur le stock sain.

– Le lenzite n'a pas besoin d'humidité, dit Sylvain.

– On en est à six tonnes de détruites. Et les premiers retours sont arrivés ce matin. Les clients nous appellent de partout en Europe. Il semble que toutes les cargaisons parties depuis la semaine dernière sont compromises. Je n'ai pas encore l'estimation des pertes. »

Sylvain passe la main sur les cernes du bois. Depuis l'enfance, il aime ce contact lisse, plus que les aspérités extérieures de l'arbre. Le bois ouvert, déraciné et soustrait au cycle de la vie : la solidité des choses sans âme.

Maudite soit la vermine qui est à l'œuvre ici.

« Ce n'est pas un parasite, souffle Calixte en examinant à son tour un morceau de moisissure.

– Qu'est-ce que tu dis ?

– Le bois est malade, mais je n'ai jamais vu ça. »

La pourriture forme des lames cotonneuses entre les rainures. Le sapin se désagrège sous les doigts de Sylvain, comme s'il était infesté de termites.

« On dirait un virus.

– Chef ! » dit un des bûcherons de l'équipe qui vient d'arriver. Sylvain le reconnaît. La photo de mariage de ce type trônait sur une table de nuit en acajou. Les secousses du lit faisaient trembler le cadre doré. La femme du bûcheron, à quatre pattes, tournait la tête et regardait Sylvain droit dans les yeux pendant qu'il la prenait, un matin d'automne.

« Il faut que vous voyiez ça. »

Les hommes viennent de déposer une douzaine de troncs à l'entrée du hangar, tous porteurs du même duvet sombre sur leur écorce.

« Ils viennent d'où, ceux-là ?

– De la Valette. On les a tombés hier soir.

– Et alors ?

– Regardez », dit le bûcheron avec son air bovin.

À hauteur d'homme, chaque arbre a été gravé de la même marque.

S/E

C'était l'hiver sur le col de la Valette. La poudreuse avait recouvert les traces des amateurs de hors-piste. La nuit allait tomber. Sylvain et Éric étaient perdus dans le blizzard et Sylvain pleurait. Sa mère était morte depuis une semaine.

« Regarde-moi. »

Éric avait enlevé son masque et son bonnet. Les flocons se déposaient en douceur sur ses cils, ses cheveux, l'arête de son nez. Ses deux mains étaient sur les épaules de Sylvain, fermes et stables comme si elles avaient toujours été là.

« Je vais te ramener chez toi. Je connais le chemin.

– Je ne veux pas rentrer. »

Sylvain s'était mouché dans son gant. Le brillant de ses bâtons s'enfonçait dans la neige. Bientôt, ils auraient disparu. Il avait gardé ses skis aux pieds. Qu'est-ce qui était pire : le vide de la maison et le silence de son père, ou mourir de froid ici ? L'idée qu'on ne retrouverait pas leurs corps avant le dégel ? Dieu sait quelle bête ferait un festin de leurs abats.

« Sylvain. »

La neige blanchissait la figure d'Éric. Il parlait comme un homme.

« J'ai peur, avait dit Sylvain.

– Moi aussi. On va retrouver le chemin. »

Éric avait déchaussé et sorti son couteau. Il avait regardé autour de lui, choisi un sapin, s'était mis au travail. L'écorce gelée résistait. Il s'était arc-bouté contre le tronc.

« Viens voir. »

Les initiales de leurs prénoms étaient gravées sur le bois, celui de Sylvain en premier. Éric lui avait pris la main :

« Toi et moi, on a la même écorce, la même résine. Peu importe ce qui s'est passé avant nous. Ce qu'il a fait, avec qui. Tu es mon frère. Je ne te laisserai jamais tomber. Tu comprends ?

– Oui.

– Et toi ? »

La forêt regardait Sylvain, son âme était nue. Éric voyait clair en lui.

« Et toi, Sylvain ? »

L'écho de la voix d'Éric lui parvient, comme si la montagne avait préservé ses paroles dans un coffre à l'abri des années. Calixte le regarde. Lui seul ici connaît le sens de ces lettres gravées dans le bois, la promesse et la trahison qu'elles portent.

La tronçonneuse démarre au quart de tour. Personne, pas même Calixte, n'a le temps de l'arrêter. Tous les S et les E sont broyés, projetés sur les murs, la carrosserie des semi-remorques, les hommes de la scierie. Des copeaux ricochent sur les épaules de Sylvain. Le bûcheron dont il a baisé la femme se couvre le visage avec le bras. Quand la chaîne s'enraye, Sylvain en a déjà fini avec six rondins. Les hommes qui sont encore là fuient son regard. Ils se demandent quoi faire, s'il faut le laisser seul ou l'aider avec la machine.

« Qu'est-ce que vous avez ? Retournez travailler ! »

Du sang coule de sa paupière droite et de son menton. Son cœur est aussi sec que le bois qu'il vient de mettre en pièces. Il pourrait prendre feu, là, ou tomber en poussière.

La joie passait rarement par le Bunker. Ses parents faisaient chambre à part, dans deux ailes opposées. Sylvain dormait à l'étage. On se croisait au dîner, parfois le matin, sans se parler. On ne recevait pas, ni les amis ni pour le travail : le Forestier avait son bureau à la station. Qui aurait voulu faire partie du cercle de cette famille muette et malheureuse ? Être considéré comme un de ses intimes ? Les camarades de classe de Sylvain ne venaient jamais passer l'après-midi chez lui, encore moins la nuit. L'isolement du lieu et la réputation de son propriétaire faisaient peur aux parents. Les seules fois où la grande maison sortait de son sommeil, c'était pour le dîner après la chasse au cerf, organisé par le Forestier à la fin de chaque automne. Sylvain avait cinq ans la première fois que son père l'avait emmené dans la forêt. Calixte les accompagnait et faisait ce qu'il avait à faire sans instructions. Sylvain était persuadé que cette compréhension avait quelque chose de biologique : il pensait que Calixte aussi était le fils du Forestier. C'était avant qu'on lui présente Éric.

« Tu vois ce fusil ? répétait le Forestier. De tout ce que je te donnerai, il n'y a rien de plus important. La terre, les arbres, la station : c'est du vent si tu n'as rien pour défendre ce qui est à toi. »

Sylvain buvait les paroles de son père, mais les questions qu'il n'osait pas lui poser commençaient à prendre trop de place. Les doutes et le silence l'empêchaient de grandir. Les attentions de sa mère, toujours plus étouffantes, ne l'aidaient pas non plus. Ils vivaient tous les trois dans l'illusion que le petit héritier se préparait à endosser les habits du maître, qu'il serait prêt le moment venu. Les soirs de fête, autour de la carcasse du cerf, Sylvain écoutait le Forestier raconter les prouesses de son fils : les traces dans la neige fine de novembre, la traque sur les rochers du Pélevos, la bête acculée au précipice par de complexes stratagèmes. Qu'est-ce qui lui faisait le plus mal ? La honte paternelle à l'origine de ces mensonges ou le fait que les invités n'en étaient pas dupes ? Quand tous étaient repartis dans la vallée avec leur pièce de viande, les heureux élus avec les bois de l'animal, le Forestier restait seul à regarder les pics montagneux à travers la baie vitrée du salon, en finissant sa bouteille jusqu'à la dernière goutte. Sylvain aurait pu lui parler alors, écouter la nuit à ses côtés. Il aurait pu lui dire qu'il avait besoin de se rapprocher de lui. N'importe qui aurait essayé à sa place. Pour ça, il lui manquait le courage d'être lui-même.

Le rayon d'une lampe de poche balaie la façade du Bunker. Ce sont les hommes de Calixte.

« Foutez le camp, crie Sylvain, ou je vous cartonne de ma fenêtre. »

Ils n'en feront rien. C'est lui qui paye la patrouille, mais c'est à Calixte qu'elle obéit.

« C'est qu'on est pas là, dit l'un, pour vous faire du tort.

— Tout l'contraire, dit l'autre.

— Pouvez compter sur nous et nos chiens. S'ils aboient, on mord. »

Sylvain n'attend pas la fin de leurs élucubrations pour claquer la porte. La femme de ménage a laissé le courrier sur la console du vestibule. Il y a une lettre un peu plus épaisse que les autres. Elle a l'air d'avoir beaucoup voyagé ; le tampon sur les timbres est illisible.

« C'est arrivé pour toi ce matin », dit-il à son père.

Sylvain allume la lumière. Comment le Forestier a vécu aussi longtemps avec cette maladie qui détruit le cerveau, nul ne le sait. Les pronostics les plus optimistes lui donnaient trois ans.

« Je suis allé à la scierie, reprend Sylvain. On a au moins dix hectares de touchés, et les bois pourris continuent d'arriver du front ouest. »

Son père ne bouge pas. Il regarde la montagne.

« Il faut qu'on brûle les arbres entre la Tinée et le Pignals. Si on ne fait rien, tout Maleterre y passera. »

Le Forestier hausse les épaules. Il y a eu une époque où ce mouvement d'humeur suffisait à interrompre le cours du monde. Aujourd'hui, ce n'est plus que le tic d'un vieux souverain qui a perdu goût aux affaires de son royaume.

« Je me suis trompé, dit-il – les premières paroles qu'il prononce depuis des semaines.

– En effet.

– J'ai fait une erreur il y a longtemps et je n'ai pas fini de la payer.

– Tu es riche.

– Ce sont les pauvres qui savent comment réparer. Ils n'ont pas le choix.

– Alors, paye-toi un pauvre. Ce n'est pas ce qui manque par ici.

– S'il te plaît, donne-moi le courrier.

– Tu attends quelque chose ?

– Donne-moi cette lettre, Sylvain. »

Les trois timbres sont identiques et ont une apparence ancienne, comme s'ils provenaient d'une collection. Leur valeur est indiquée en francs CFA. Ils représentent une scène banale du Sahara : un paysage de dunes, un ciel sans nuages, un Bédouin en habits sombres, assis sur son chameau. La lettre est adressée à M. Pierre Lazar, les caractères allongés et reliés avec élégance. On sent quelque chose de dur et fin à l'intérieur. L'expéditeur a fait une faute d'orthographe sur le nom de la station : ISOLAR 2000 – celui d'un satellite ou d'une planète inconnue.

« Passe-moi le couteau. »

Le Forestier déchire le long côté de l'enveloppe et en vide le contenu sur son bureau : du sable, une myriade blonde, presque transparente. Les grains dessinent un archipel sur la tablette en cuir où son père a pris l'habitude d'écrire ses livres de compte.

« C'est un sablier, dit-il.

– Non, répond Sylvain. C'est du sable.

– Pour dire que le temps est venu. »

Son père a glissé la main dans l'enveloppe. Il la retire d'un geste brusque, comme s'il venait de recevoir un choc électrique. Il y a sur son visage une épouvante, étrangère et vide, que Sylvain ne se rappelle pas avoir vue chez lui.

« Ouvre ta main ! » dit Sylvain.

Le Forestier a le poing serré, chaque muscle de l'avant-bras gonflé par ce séisme intérieur. Des répliques secouent son buste, ses épaules, sa tête.

« Papa, montre-moi.

– Fous-moi la paix ! Tu me gardes ici comme un otage. Je crève loin de tout. »

Il n'a jamais regardé son fils comme ça, comme un autre homme. Quelqu'un qui peut lui faire du mal.

« Tu délires. Ouvre la main.

– Même pas un pot pour pisser dedans !

– Qu'est-ce que tu racontes ?

– Mais bon sang, s'entête le Forestier. Depuis quand on met les vieux à dormir à l'étage des animaux ? »

Dans le creux de sa paume, entre la ligne de vie et la ligne de chance, il y a un anneau en or : deux torsades dont les extrémités se chevauchent en formant un début de tresse. La première fois que Sylvain a vu cette bague, c'est le jour où le Forestier l'a emmené au Hameau.

« Je viens aussi ? » a demandé Calixte, qui devait avoir vingt ans. Il n'y a pas eu de réponse. Sylvain attendait devant le Bunker. Son père lui a mis un casque sur la tête, sans un mot. Ils ont démarré. De la poudreuse giclait sur la motoneige ; le ciel de mars était posé là comme un grand miroir. Au milieu de la descente, Sylvain a eu peur de ne pas revoir sa mère. Elle passait la semaine à Nice pour des examens médicaux.

L'horloge de la station carillonnait lorsqu'ils sont arrivés. Sylvain a compté onze coups. On aurait dit que le jour était plus avancé. Son père a voulu lui enlever son casque, mais Sylvain l'a arrêté. Il a défait la lanière tout seul et a rangé le casque dans le coffre de la motoneige. Le Forestier a souri. Derrière lui, adossé à la porte d'un chalet semblable à tous les pavillons du Hameau, il y avait un grand garçon brun, les bras croisés, qui les fixait de ses yeux noirs.

« Éric, a dit le Forestier sans regarder le garçon. Viens dire bonjour à Sylvain. Sylvain, je te présente Éric. »

Le garçon a décroisé les bras. Il a tendu la main à Sylvain et tout s'est expliqué : le silence entre ses parents, la tristesse de sa mère, les absences de son père. Sylvain n'avait jamais serré la main à personne.

« Éric, a dit le garçon. C'est ma maison.

– Moi, j'habite tout là-haut.

– Je sais. Tu as de la chance.

– Je m'appelle Sylvain. »

Le regard de son père pesait sur lui. Chaque mot qu'il prononçait était une crevasse qui attendait sa chute.

« Je connais bien la montagne, a dit le garçon en le prenant par la main. Tu veux voir mes cartes d'état-major ? »

La maison était petite, son espace organisé en une succession de pièces étroites : le salon ouvrait sur une cuisine américaine, puis le couloir desservait deux chambres, avec une salle de bains au fond. Le garçon occupait celle de gauche, avec vue sur les toits de la station. Sa fenêtre était grande ouverte. On entendait le roulis des œufs et le fracas des perches au départ des remontées mécaniques en contrebas.

« J'aime le froid.

– Ouais. Moi aussi. »

Il y avait des photos d'alpinistes et des cartes du Mercantour accrochées aux murs. Des vêtements de montagne en désordre sur le lit. Une étagère vide, sur laquelle traînaient quelques cahiers et d'autres cartes. Un bureau dont le tiroir était ouvert, vide lui aussi, installé devant la fenêtre. Un dessin à peine commencé, une gomme, des crayons de papier mal taillés. Encore des cartes.

« Tu n'as pas de livres ?

– Je lis mes cartes.

– Les cartes ne racontent pas d'histoires.

– Bien sûr que si. Et elles sont vraies. »

Le garçon a ri. Il paraissait embarrassé, mais ça n'était rien en comparaison de la gêne de Sylvain. Ni jouets, ni dessins d'enfant. Des cartes à la pelle. Ils avaient beau être du même âge, Sylvain se sentait tout petit à côté de ce garçon qui avait déjà sa boussole pour naviguer dans le monde. Il devait savoir allumer un feu, monter une tente, trouver le nord, le sens du vent.

Voir la neige venir avant qu'elle tombe. Il connaissait le nom des fleurs, des champignons, des rongeurs et des papillons. Il n'y avait pas de doute qu'il avait déjà tué du gibier. Il n'était pas beaucoup plus grand que lui, deux ou trois centimètres, mais Sylvain, dans la tanière du garçon, avait l'impression d'être un imposteur – un faux montagnard. En même temps, Éric avait quelque chose de rassurant. Il inspirait confiance. Ce sentiment de sécurité était si imposant qu'il écrasait la jalousie naissante de Sylvain. Qui mieux qu'Éric pouvait l'aider à gagner l'estime de son père ?

« Je ne t'ai jamais vu à l'école.

– Ma mère part trop tôt pour m'emmener. Le car ne passe pas tous les jours. C'est difficile. J'essaie de suivre à distance.

– Ça ne vous crée pas d'ennuis ? Le directeur n'est pas très commode. »

Éric a baissé la tête et s'est assis sur le lit. Il a commencé à plier ses affaires.

« Le directeur fait ce que ton père lui dit de faire. »

Il y avait un livre tout seul au pied du lit – une version abrégée de *L'Odyssée*. Le marque-page était une photo du Forestier dans une grande ville, peut-être Paris, une cigarette à la main. Il n'avait pas trente ans et regardait au loin, avec un air inquiet.

« Je croyais que tu ne lisais pas.

– Il est différent, celui-là. C'est l'histoire de quelqu'un qui retrouve son chemin.

– Pourquoi tu dis *ton* père ?

– Parce que c'est ce qu'il est. Rends-le-moi, maintenant. »

À l'entrée de la chambre, une femme grande et brune les observait. Elle portait un débardeur blanc et avait un regard triste.

Elle a appelé le Forestier :

« Pierre ? Qu'est-ce qui se passe ? »

Sa voix était grave ; elle parlait avec l'accent des Lombards. Éric continuait à s'occuper de son linge comme si de rien n'était. Il ressemblait beaucoup à sa mère.

La femme a répété : « Qu'est-ce qui t'a pris ? Pierre ? »

Elle a passé la main dans ses cheveux en soupirant. Il y avait une bague en or à son annulaire. Elle avait l'air de venir de loin. Cette femme et son père avaient eu un fils.

Son frère.

L'anneau, dans la paume flétrie du Forestier, fait peine à voir. Deux tiges tordues et couvertes de rayures. Un vulgaire morceau de métal. Sylvain a du mal à déglutir. Sa gorge le brûle. Comment est-ce qu'il a pu être aussi aveugle à l'époque ? Les cartes d'Éric ne dessinaient pas un espace, mais une blessure. C'était le domaine de Maleterre : tout ce qui était à l'autre, à lui, et qu'Éric n'aurait jamais.

Éric

1990

La bille fuse entre les flippers. C'est le deuxième tilt, la partie est finie. Éric fouille dans les poches de son jean – il lui faut une excuse pour ne pas retourner s'asseoir avec Sylvain et la fille. Ils boivent une bière en discutant du film qu'ils viennent de voir. Lui, il s'est endormi une demi-heure avant la fin. Il n'y avait pas d'histoire. Les acteurs parlaient à voix basse, le téléphone sonnait dans un appartement vide. Le ciel était morne. Éric s'ennuyait et sentait ses muscles gagnés par la tristesse. Il a fermé les yeux. Les dialogues et les silences l'ont bercé et il s'est réveillé pendant le générique. Il entendait les gens quitter la salle. La main de Sylvain était posée sur celle de la fille. Elle l'a retirée et ils ont continué à regarder les noms des acteurs qui défilaient, comme si de rien n'était. La main de Sylvain sur le velours de l'accoudoir avait quelque chose d'étrange. Éric est sorti les attendre devant le distributeur de canettes. La tristesse lui tenait toujours aux jambes et aux bras.

Sur le plateau du flipper, il a posé toutes ses richesses. Un mouchoir sale, une tablette de chewing-gums, les clés de la maison. Les diodes du dinosaure clignotent sur le fronton. Il ne lui reste pas un centime.

« Tu vas vivre encore longtemps comme ça ? »

Dans son demi-sommeil au cinéma, Éric a fait un rêve. Il y avait ce vieux Noir, des balafres symétriques sur le visage. Il était assis sur un tabouret en fer au milieu de dunes de sable. Le type s'est mis à ricaner quand il a vu Éric approcher. Éric avait l'impression de l'avoir déjà croisé quelque part.

« Hé hé hé.

— Je ne vois pas ce qu'il y a de drôle, a dit Éric. Nous sommes perdus dans le désert et nous allons mourir de soif.

— Parle pour toi, fils. Moi, je suis mort depuis longtemps.

— Alors je dois être mort aussi.

— Hé hé hé, qui sait ? Le temps n'est pas ce que croient les Blancs. Tu es moins idiot que tu en as l'air. »

Le Noir a continué à rire sur son tabouret. Il n'avait pas l'air gêné par le soleil. Il y avait tellement de lumière qu'on ne pouvait pas dire où il se trouvait dans le ciel. Il devait être midi. Le nord et le sud n'existaient plus.

« Qu'est-ce que vous faites sur ce tabouret, au milieu de nulle part ? a demandé Éric.

— Je ne trouve pas le repos.

— Je suis désolé. Je dois rentrer chez moi. Montrez-moi le nord.

— Tu n'es pas idiot mais tu comprends tout de travers, comme les Blancs.

— Je suis blanc.

— Ça peut changer, fils. Tout change. Tu n'en as pas assez ? Tu vas vivre encore longtemps comme ça ?

— Je changerai si je veux.

— Quand le sang noir de l'amour et de la mort te montera à la tête. »

Lorsqu'il s'est réveillé dans la salle, Éric avait oublié ce curieux bonhomme. Pourquoi ses paroles lui reviennent-elles devant le flipper ? Il range ses affaires en regardant Sylvain et la fille. Le vieux Noir avait raison. La moitié de tout ce qui est ici devrait être à lui : la moitié du flipper, la moitié du café, la moitié de la galerie marchande, la moitié de la station. La moitié de la montagne. Il n'y a pas de raison que Sylvain ait tout, jusqu'au privilège de lui payer ses places de cinéma, et que lui doive se contenter d'une tablette de chewing-gums, d'une partie de flipper, des boulettes d'aluminium oubliées comme des petits cailloux au fond de ses poches vides.

La fille a allumé une cigarette. Sylvain a refusé quand elle lui en a offert une. Ça a fait rire la fille, qui jette un coup d'œil en direction d'Éric. Elle l'attire : son rire, le blanc de ses dents, la forme de ses lèvres. Les petits cheveux qui reviennent sur ses tempes. Elle s'appelle Audrey. Il y a quelque chose dans sa voix et ses gestes qui donne envie de la toucher. Au cinéma, pendant les bandes-annonces, elle leur a dit qu'elle habitait à Paris. Elle a seize ans et vient à Isola 2000 chaque hiver. Ses parents prennent toujours la même location, un studio au Pas-du-Loup avec vue sur le Front-de-Neige. Le soir, sur le balcon, elle écoute son Walkman en regardant les dameurs monter en file indienne vers Saint-Sauveur.

« Tu n'es pas très bavard, dit-elle à Éric en passant la main sur le flipper.

– J'aime mieux écouter. Ma vie n'est pas intéressante. »

Sylvain les regarde. Il a allongé le bras sur le dossier de la banquette.

« J'ai perdu. On peut retourner s'asseoir.

– Je vais prendre l'air, dit la fille.

– Qu'est-ce qui s'est passé ? demande Éric à Sylvain.

– Je ne sais pas pour qui elle se prend. »

Sylvain paye l'addition et s'éloigne dans la galerie marchande, au milieu des vacanciers qui font leurs courses. Il reste un fond de bière dans son verre.

« C'est ton frère ou ton copain ? » demande la fille dehors.

Il n'y a personne d'autre sur la terrasse. La nuit froide les entoure. Devant eux, le relief de la montagne est gommé par les nuages que le vent a fait monter de la mer en fin d'après-midi.

« Mon frère.

– Vous ne vous ressemblez pas.

– On a le même père. »

Elle tient sa cigarette entre le pouce et l'index. Quand elle tire dessus, par petites bouffées, ses seins se soulèvent sous son pull.

« Il va neiger, dit Éric. La neige sera bonne demain s'ils ouvrent du côté de Sisteron. »

Elle dit : « Je repars dans trois jours. »

Le bout incandescent de sa cigarette éclaire le bas de son visage et se reflète sur ses pupilles. Ses yeux sont marron, avec des lames noires. Elle jette son mégot par-dessus le parapet. Il roule sur la piste sans s'éteindre. La fille regarde Éric. Sa bouche doit avoir un goût de fumée. La pulpe de ses lèvres sent le baume hydratant et luit dans le noir.

« Ton frère, dit-elle. S'il était à ta place ça fait longtemps qu'il aurait essayé de m'embrasser. »

Elle glisse la main sur le flanc d'Éric, puis l'embrasse. Sa bouche a la fraîcheur, la tendresse du matin, l'amertume de la bière et un million de douceurs qui n'ont pas de nom. Elle est ce qu'il veut et ce qui lui fait peur.

« J'ai froid », dit-elle en posant la tête contre sa poitrine. Il enlève son blouson et le lui met sur les épaules.

Cette fille s'appelle Audrey. Elle est la première qu'il embrasse et elle porte son blouson. Il lui caresse les seins. Elle le laisse faire. Il descend dans le bas de son dos, jusqu'à la naissance des fesses. Elle lui prend la main et la guide entre ses cuisses. Elle ferme les yeux. Ses paupières et ses lèvres tremblent. Elle serre la main d'Éric entre ses jambes, en la caressant. Elle pousse un soupir et lui agrippe l'épaule. Il l'embrasse dans le cou, derrière l'oreille. Il dit : « Audrey », à voix haute. Son nom est une formule magique qui met le feu à la forêt et provoque des avalanches.

Elle rouvre les yeux. Ses pupilles sont dilatées, ses joues chaudes et moites. Son souffle s'envole comme un mystère dans l'air noir. Pas la peur d'Éric.

Elle le regarde en disant : « J'ai envie de toi. »

« Je connais un endroit. »

Ils descendent sur le Front-de-Neige. Les lumières de la station éclairent la piste jusqu'au mur de Saint-Sauveur. C'est son père qui a construit tout ça. Son père, à lui aussi. Une maladie est en train de germer dans son cœur. Audrey l'embrasse de ses lèvres tendres. Elle a les yeux sombres comme l'eau de la Tinée au début du mois d'août. Leurs silhouettes se confondent sur la neige lisse.

La gare de la télécabine apparaît devant eux. Il y a de la lumière dans le magasin de location de skis voisin, mais la grille est tirée.

« J'aimais mieux l'ancien, dit Audrey en regardant le nouveau logo d'Isola 2000 sur les tôles de la façade. Celui-ci sera ringard dans cinq ans. »

Éric travaillait déjà ici comme agent de maintenance quand le Forestier a décidé de changer de mascotte. On a fait appel à des agences de publicité. Trois finalistes ont été sélectionnés par le conseil d'administration, mais aucun ne plaisait à son père. Un jour, celui-ci est arrivé avec des autocollants d'un surfeur aux cheveux jaunes, aussi souriant et détendu que son prédécesseur avait l'air maussade et préoccupé.

« C'est Sylvain qui a dessiné ça, a-t-il dit à Éric. Qu'est-ce que tu en penses ? »

Avec ses yeux démesurés, le surfeur ressemblait aux héros de dessins animés japonais que Sylvain continuait à regarder, à dix-sept ans passés. Pour Éric, ils avaient tous la même tête.

« Je n'y connais rien.

— Tu trouves que ça donne envie de skier ici ? Est-ce que c'est fidèle à l'image de la station ? »

Et le Forestier est reparti, sans attendre la réponse, avec ses autocollants bien rangés dans une chemise bleu électrique, laissant Éric au nettoyage des câbles.

« Pourquoi est-ce que tu as les clés ? demande Audrey en se serrant contre lui.

— Je travaille ici. »

Il ouvre. La peur et la honte d'être qui il est se cramponnent à sa nuque.

« Je prends les œufs au moins deux fois par jour. Je ne t'ai jamais vu.

— Les machines sont sous l'embarcadère.

— Il n'y a pas d'alarme ?

— Tu as déjà entendu parler d'un voleur de télécabine ?

— Contre les sabotages. Ou si jamais un animal se retrouve coincé. Un enfant.

— Il n'y a pas de saboteurs, ici. Il n'y a que des touristes. Comme toi.

— Et les animaux ? »

64

– On les mange. Les enfants aussi. »

Il lui effleure la tempe et le front avec le pouce. Ses sourcils sont d'une symétrie parfaite, même dans l'obscurité.

« Tu veux que j'allume ? »

Il y a une lampe torche dans le local technique. C'est la première fois qu'Éric entre ici de nuit. Le corps d'Audrey émet des ondes qui renversent tout à l'intérieur du sien.

« Tu n'as pas froid ? lui demande-t-il. Il n'y a pas de chauffage.

– Arrête de parler. »

Elle l'entraîne contre un mur. Elle laisse tomber le blouson, enlève son pull, son T-shirt, dégrafe son soutien-gorge. Sa peau est pâle et elle a la chair de poule. Il n'y a plus que son odeur dans le froid. Éric a la tête qui tourne. Le vieux fou dans le désert avait raison : du sang noir, bouillant, coule dans ses veines.

Il est trois heures du matin. Avant de remonter dans le studio où dorment ses parents, Audrey lui a serré le bras très fort et elle a marché à reculons jusqu'à la porte de son immeuble, sans le quitter des yeux et sans cesser de sourire. Une joie d'enfant a inondé le cœur d'Éric : Audrey avait gardé son blouson.

Sur le chemin du Hameau, il n'y a aucun bruit, rien que le souffle de la montagne. Le vent l'enveloppe comme un vieil ami – la densité des ombres, les sapins qui se balancent. Il a eu tort, devant le flipper, de se laisser aller à l'envie et à la rancune. Avec un titre de propriété officiel, légal, est-ce qu'il se sentirait mieux, rassuré ? Est-ce que cette neige et cette nuit seraient plus à lui ? Même le triste alignement des pavillons, quand il tourne dans sa rue, dit que la colère est vaine. Tout lui appartient déjà.

Un courant d'air lui fait lever la tête. Le ciel est encore noir, mais dégagé. Une lune presque pleine flotte au-dessus du col de la Valette. Pendant qu'ils faisaient l'amour, la peau d'Audrey frissonnait là où il la touchait. Elle le regardait et disait son nom. Le souvenir de sa voix, de ses baisers. L'urgence avec laquelle elle se pressait contre Éric sortait d'un abîme où sa peur s'est évanouie.

Un aigle royal plane au-dessus du chalet de sa mère.

« D'où tu reviens comme ça ? »

C'est la voix et la silhouette de Sylvain.

« Qu'est-ce que tu fabriques dans le noir ? demande Éric.

— Tu pues la chatte mon salaud.

— Arrête, dit Éric, gardant ses distances.

— Je le sens d'ici. Raconte-moi. Ne fais pas l'égoïste.

— Rentre chez toi, Sylvain.

— Je suis chez moi. Toi tu tires ton coup, mais tu n'es personne.

— On se verra demain. »

Éric ne veut pas forcer le passage. Il attend.

« Tu vois ce bois ? dit Sylvain en écrabouillant sa canette de bière sur un rondin. Cette maison ? Ce hameau ? Cette station ? Cette montagne ? Tout est à moi. Toi, tu es un parasite qui aime les putes. C'est normal. Ta mère est la reine des putes. Elle doit aimer ça, elle aussi. Elle a dû crier comme une pute quand mon père l'a baisée et qu'ils ont fait le bâtard que tu es. Comme ta grosse pute de Parisienne. »

Quelque chose électrise la montagne. Il y a un écroulement dans la nuit, une faille.

« Éric ! »

Sa mère l'appelle. Elle est à des années-lumière. Il est dans le désert.

« Éric ! Arrête, tu vas le tuer ! Éric ! »

Le noir de la nuit. Quelque chose sous lui prend la forme de ses coups. Il a le sang de son frère sur ses poings. Sylvain est allongé dans la neige, devant la maison. On dirait que la moitié de son visage s'est effondrée dans ses cheveux.

« Rentre tout de suite et appelle le SAMU. Je m'occupe de lui. »

Éric se lève comme un somnambule.

« Hé hé hé. »

Le vieux Noir l'observe, appuyé sur le capot de la voiture. Il ricane de son timbre nasillard : « Ils vont avoir du mal à recoller les morceaux. »

Il n'y a plus rien que les pas de sa mère et l'air immobile de la nuit. Là-haut, sous la lune, l'aigle continue à tourner.

Audrey

2016

Audrey pose sa tasse sur le plan de travail de la cuisine. Le goût du café lui rappelle quelque chose de désagréable, mais quoi ? Elle prend un verre d'eau et allume une cigarette sur la gazinière. L'arrivée de sa fille l'a prise de court. Elle a eu besoin de quelques minutes pour l'accepter et pour se faire à sa présence – c'est fou, la vitesse à laquelle elle s'est habituée à vivre seule.

« Tu aurais dû m'en parler la dernière fois, dit Audrey. On aurait inventé quelque chose. Là, ils vont devoir te sanctionner. Et je ne sais pas comment te défendre. À quelle heure tu es partie ? Comment c'est possible que personne ne t'ait vue ?

– J'ai pris la navette de sept heures à l'aéroport, dit Clémence. Les pions doivent croire que je suis au stade et l'entraîneur que je suis malade. Ils ne t'appelleront pas avant le déjeuner. On peut changer de sujet ? »

Quand Éric est mort, pendant des mois, Audrey s'est dit qu'elle n'y arriverait jamais. Clémence était trop petite et ne comprenait pas ; elle refusait de se rendre à l'évidence. Elle se racontait que son père allait apparaître. Elle en parlait à tout le monde, de ce jour où elle le verrait arriver dans son uniforme, on ne savait plus quoi lui répondre. Le psychologue était dépassé. Audrey pensait que sa fille allait rester une enfant toute sa vie, comme si les aiguilles de son horloge s'étaient arrêtées. Et puis, il y a trois ans, Clémence est entrée dans sa chambre un matin d'automne, elle s'est allongée sur le lit et elle a dit :

« Je sais que Papa ne reviendra pas. »

Audrey lui a demandé comment elle le savait, mais Clémence n'a rien voulu expliquer. « Je le sais. Il ne reviendra pas, c'est tout. Je ne veux plus en parler. » Les choses sont devenues plus faciles entre elles. Au milieu de sa troisième, Clémence a décidé qu'elle ne prendrait pas le car pour le lycée professionnel l'année suivante : les métiers du ski et la montagne ne l'intéressaient plus. Une de ses copines lui avait parlé d'une école privée, à Nice, où les élèves pouvaient être pensionnaires. Les grands-parents ont réglé les frais d'inscription et les deux premiers trimestres. Clémence est partie, pour ne rentrer que les week-ends, durant les vacances scolaires, certains jours fériés. Le quotidien a changé de tonalité. Audrey s'est faite au silence de la maison, au bruit blanc des appareils domestiques, à l'absence de ce regard dans lequel elle était bien obligée d'exister. Les enfants attendent toujours quelque chose. Délivrée de cette attente, elle est devenue invisible. Non pas en société – l'école, la classe et les rendez-vous avec les parents d'élèves lui préservaient un ancrage dans le monde –, mais comme mère et comme femme. Il y avait même des jours où elle arrivait à oublier ce qui s'était passé, à désamorcer la réalité d'Éric et de Clémence, comme si elle s'était réveillée sans mémoire, blanche et vide à l'intérieur.

Une odeur d'herbe tondue entre par la fenêtre, comme tous les dimanches matin. La météo a annoncé une semaine radieuse. Audrey se reprochera son laxisme une autre fois. Pour l'heure, même si l'école de sa fille lui coûte quatre mille euros par an, elle est tentée de fermer les yeux sur l'écart de conduite.

Clémence la regarde avec les yeux noirs de son père : la même exigence éprise d'absolu, les mêmes gouffres sans fond, la même révolte contre le bonheur. Audrey s'en est rendu compte très tôt, bien avant le départ d'Éric en opération extérieure. Clémence marchait à peine que père et fille avaient déjà en commun quelque chose de buté, une fêlure souterraine, dissimulée sous une tranquillité qui passait pour de la force. Ce matin, le visage de sa fille a changé, comme si les tumultes de l'adolescence s'étaient dissous dans une résolution harmonieuse. Elle a le front intelligent, rehaussé par des sourcils bien dessinés. L'arête de son nez s'est affinée, révélant l'axe d'une symétrie adulte. Sa lèvre supérieure, mince et pâle avant qu'on lui retire ses bagues, s'est ouverte comme une fleur.

Audrey allume une cigarette :

« Qu'est-ce que tu vas faire de ton temps, maintenant que tu es là ? La remise aurait besoin d'un bon coup de rangement.

– Le rangement attendra. Tu as des cheveux gris et je trouve que tu te laisses aller. Je vais m'occuper de toi. »

« Qu'est-ce qui se passe ? demande Audrey à Diane, la voisine. Ne me dis pas que tu vends. »

Diane a ouvert les fenêtres du salon. Le bric-à-brac est toujours à sa place, ces horribles poupées qu'elle récupère et rapièce pour les vendre à on ne sait qui sur Internet, les morceaux de ferraille que son fils rapporte de ses virées dans la forêt, les cordes de guitare cassées, les notices de médicament et les factures EDF qui s'empilent – mais de la lumière et de l'air frais entrent dans la pièce.

Une odeur âcre monte du sol et des murs, le chlore d'un produit de nettoyage. Comment peut-on vivre dans un lieu aussi sale et encombré ? Diane passe ses jours enfermée ici. Deux fois par semaine, elle prend sa voiture pour aller faire un stock de produits discount, plus le plein d'essence quand la jauge s'allume. Ce sont ses seuls contacts avec la société. Il n'y en a plus pour longtemps – c'est sa façon de le dire. Elle ne veut pas être surprise dehors quand ça arrivera. En attendant que les démons s'abattent sur le patelin, elle fait des mots croisés devant les séries américaines de l'après-midi. La télé est toujours allumée chez elle. Le halo bleu de l'écran sur ses rideaux, c'est la dernière chose qu'Audrey voit du monde extérieur en fermant ses volets le soir.

« Si seulement, soupire Diane. La chienne a fait une crise d'épilepsie. Ça l'a prise quand Paulin est rentré à pas d'heure. La pauvre bête avait les yeux à l'envers, elle était molle comme un chiffon. Elle m'a mis de la bave partout. Le véto l'a gavée de bromure. Pas pressée qu'elle se réveille.

– Qu'est-ce qu'il faisait dehors, ton fils ?

– J'étais partie pour lui coller une de ces trempes ! Ma foi, à voir sa mine, j'ai pas eu le cœur. Je me suis étonnée moi-même. Le pauvre gosse était bien assez puni comme ça.

– Je t'ai dit cent fois de ne pas le taper. Tu veux que les services sociaux te le prennent ? Qu'il finisse par répondre et te fracasse la tête contre ton papier peint ? Tu as de la chance qu'il soit aussi doux.

– T'as fini ? »

La fumée de leurs cigarettes file dans le courant d'air. Les murs de cette maison sont des buvards à nicotine. Diane est imbibée de toutes sortes de cochonneries, surtout les antidouleur que lui refile en douce le médecin du village. Mais il n'en a pas toujours été ainsi. Autrefois, elle a été le pilier de la bergerie familiale. Elle marchait des dizaines de kilomètres à travers la nuit avec les troupeaux. Elle pêchait la truite à mains nues dans la Tinée. Elle n'avait pas son pareil pour confectionner un piège à loup. Ce sont les hommes et le whisky qui ont fait d'elle ce qu'elle est. Les hommes par ennui, besoin, abandon. Le whisky pour oublier la saleté que ceux d'ici portent comme un virus. Ses frères sont partis dans la vallée. Diane a continué à boire. La bergerie a été rachetée par un investisseur, un Lazar aux petits pieds, qui en a fait le point de départ de son parcours d'accrobranche.

Elles s'entendent bien, toutes les deux, même si elles n'ont pas grand-chose à se dire. Audrey avait arrêté la cigarette quand elle était enceinte. Elle a recommencé. Avec Diane, elles fument et regardent le papier peint, en échangeant des banalités sur les enfants. Il y a vingt ans, quand Audrey est venue s'installer ici, elle n'aurait pas imaginé se lier avec une femme comme ça. Ses amies parisiennes lui manquaient. Son univers se limitait à Éric. Certains soirs, en s'endormant, elle se faisait des films dans lesquels c'était lui qui l'accompagnait à Paris. Elle lui faisait reprendre ses études, elle le civilisait. Aujourd'hui, si ses amies lui rendaient visite, elles ne la reconnaîtraient pas. Elles la croiseraient avec Diane et verraient deux sauvageonnes, deux femmes nées du mauvais côté de la vie, celui des plats surgelés et des coupons de réduction qu'on garde dans une boîte posée sur la commode de l'entrée.

« Il est où, Paulin ?

– Il pionce. C'te fainéant.

– Qu'est-ce qui s'est passé hier soir ?

– Rien de bon.

– Mais encore.

– Aucun intérêt.

– Raconte-moi. »

Diane fuit son regard. Elle pioche une autre cigarette, frotte la pierre du briquet plusieurs fois pour l'allumer, comme une débutante. Ça ne lui ressemble pas.

« Qu'est-ce qui se passe ? Tu me caches quelque chose.

– Peut-être que j'ai mes raisons. Peut-être même qu'elles sont valables.

– Non. Pas si tu es mon amie.

– Oh là. Les violons.

– Diane. »

De la cendre tombe sur la moquette. Elle ne s'en rend pas compte.

« Ton mari est revenu.

– Je ne comprends pas.

– Paulin l'a vu hier soir. Il lui a parlé. Il est rentré sale comme un mouton après l'orage : du noir sous les ongles et dans les cheveux, trempé de la tête aux pieds, les yeux de quelqu'un d'autre. Le loup, qu'il disait. *J'ai vu le loup et le Chasseur.*

– Le Chasseur ? »

Diane écrase sa cigarette en hochant la tête. Elle dit oui, mais sa voix implose dans une quinte de toux.

« Je ne te crois pas.

– Et alors ? C'est mon fils que tu dois croire. Je te dis que ce gosse, il sait pas mentir. Il a trouvé le

73

loup au Pignals, dans un refuge désaffecté. Un type en uniforme est arrivé. D'après Paulin, on aurait dit qu'il tombait du ciel. Ils ont parlé un brin. Le type a dit qu'il était là pour régler ses comptes. Paulin s'est souvenu des photos à l'époque. Je lui ai montrées, pour vérifier. C'était ton mari.

– On n'a pas retrouvé le corps, dit Audrey.

– Je sais.

– Cet homme, c'est quelqu'un d'autre. Un autre homme qui se fait passer pour lui.

– Paulin a vu les photos.

– Qu'est-ce que cet homme a dit d'autre ?

– Il a dit à Paulin de l'oublier, puis il est parti. Paulin a tourné la tête et il n'était plus là.

– Il n'a pas parlé de nous ? De Clémence ? Il n'a pas dit qu'il allait venir nous voir ?

– C'est tout ce qu'il a dit. »

Audrey se lève :

« Je m'en vais. Je ne veux pas pleurer devant toi.

– Je pleure tous les jours de ma vie de merde et tu me vois. »

Les mains et les cheveux de Diane sentent le tabac froid, les fertilisants, le chlore, la vieillesse qui vient. Audrey n'a pas d'autre amie.

« J'y vais.

– Fais attention à toi et à ta fille, dit Diane. Ceux de Maleterre ne vont pas rester les bras croisés. Le loup, la maladie des arbres, toutes ces histoires du passé qui remontent à la surface – ça ne me dit rien de bon. »

Audrey n'a jamais vu le corps. Pendant des mois il n'y a eu que l'absence d'Éric et cette expression qui ne voulait rien dire : « Disparu au combat ». Ni tué ni blessé, ni prisonnier de guerre. Ces mots-là, reçus par d'autres femmes, portent en eux une lumière froide. Ils éclairent, referment. Ceux qu'elle a reçus voilent et laissent tout en suspens. On ne peut pas oublier un disparu. On le cherche. On ne peut pas tourner la page. On traverse les jours en ombre, sans désir ni angoisse. On attend.

Audrey a attendu.

Éric avait disparu.

Comme un déserteur ?

Un spectre ?

Une victime, un coupable en cavale ?

Il y a eu toutes sortes de papiers, des rapports d'expertise, des documents classés secret défense. Des milliers de mots pour donner une forme présentable au vide qui grandissait sous ses pieds. C'est la vie d'Éric qui était devenue un secret défendu, une histoire dont sa femme et sa fille ne connaîtraient jamais le dénouement. Quatorze mois après la disparition, l'armée de terre a annoncé qu'elle arrêtait les recherches. Audrey a reçu l'appel d'un colonel : « Nous ne pouvons pas vraiment confirmer si votre mari est encore en vie ou s'il est décédé. Nous pouvons, vu les circonstances et à titre exceptionnel, le déclarer mort pour la France. »

À l'entendre, c'était un honneur qui n'avait pas de prix. Audrey a répondu qu'elle ne comprenait pas : « Vous venez de me dire que vous ne pouvez pas le confirmer…

– C'est pourquoi nous le déclarons, a repris le colonel. À titre exceptionnel. Si vous êtes d'accord. »

« Ils te proposent ça pour ne plus avoir à te verser sa solde, a dit Diane. Les fils de chienne. »

Audrey a accepté. Elle a signé un formulaire saumon en trois exemplaires en vertu duquel elle renonçait à toute action judiciaire contre l'armée de terre et le ministère de la Défense. Une notification a été envoyée au maire d'Isola par les services administratifs du 27ᵉ bataillon d'infanterie de montagne. Le maire a enregistré l'acte de décès dans les registres de la commune et le lui a remis :

Éric Fedeli
Né à Isola (06) le 12 décembre 1973
Dernier domicile connu : Isola
Décédé à X le 20 octobre 2006
MORT POUR LA FRANCE

Peu après la cérémonie autour du cercueil vide, un chèque de 654 euros est arrivé par courrier – sa pension de veuve. C'est avec cette aumône qu'elle paye le lycée de Clémence.

« Qu'est-ce que tu veux ? demande Sylvain. J'ai du travail. »
Audrey ne l'a pas revu depuis le départ du bataillon en Afrique. À son retour, on l'a mis dans une sorte d'asile militaire. Elle a entendu qu'il y est resté trois ans. Il a maigri. Ses cheveux sont devenus fins, de part et d'autre du front et à l'arrière du crâne. Il a l'air souffrant. Et les reconstructions successives de son visage n'y ont rien changé : la cavité est toujours là, sur la tempe gauche, trace indélébile. Il a la peau plus sombre à cet endroit.
Elle l'a appelé en sortant de chez Diane. Il n'y a qu'à lui qu'elle pouvait parler d'Éric ; il était aussi celui à qui il ne fallait pas en parler. Il n'a rien dit en décrochant. Elle lui a donné rendez-vous au seul café de la station ouvert à la morte-saison, là où ils avaient discuté après le film, il y a si longtemps. L'endroit a changé de nom,

76

mais surplombe toujours le Front-de-Neige. Elle a dit :
« J'ai besoin de te voir tout de suite. » Il a raccroché
sans un mot.

« Tu as entendu pour Éric ?

– Entendu quoi ?

– Sylvain, arrête.

– Tu me poses une question. Je te demande de
préciser.

– Est-ce qu'Éric est ici ? Est-ce qu'il est revenu ?

– Non.

– Tu l'as vu ?

– Non.

– Tu lui as parlé ?

– Je n'ai pas parlé à Éric depuis le jour où il est
mort. Je ne crois pas aux fantômes.

– Mais tu sais ce qu'on raconte.

– On ne peut pas empêcher les gens de parler, surtout
les gamins. Tu es bien placée pour le savoir : n'importe
quoi pour tromper l'ennui.

– Pourquoi tu ne veux pas en parler ? »

Il l'aime encore, avec la même révolte et la même
peur qu'à l'époque. Il a beau essayer de les cacher
comme avant, elles habitent ses gestes, son regard, sa
voix. Il vit toujours dans l'ombre de son frère.

« Tout le monde peut arriver sur une terre étrangère
et dire : "Je suis cet homme-là. Vous croyiez qu'il était
mort. En fait, c'est moi." C'est à la portée du premier
crétin.

– Comment peux-tu être sûr que cet homme n'est
pas Éric ? insiste-t-elle. Tu dis toi-même que tu ne l'as
pas vu. »

Le soir de leur rencontre, elle avait aimé le blesser,
l'amener à la conclusion qu'il n'était pas à la hauteur.
Non par cruauté – c'était plutôt une conséquence de sa

77

vision des rapports humains. Elle savait que le chemin sur lequel elle abandonnait Sylvain la conduirait dans les bras d'Éric.

« Éric est mort, répond-il.

– Tu ne l'as pas vu non plus. Tu dis qu'il est mort mais tu n'as pas vu son corps. C'est juste un bout de papier. Peut-être que tu es comme moi, comme nous tous, victime d'une illusion de l'état civil.

– C'est toi qui as demandé l'acte de décès. Tu ne t'en souviens pas ? Je vais débusquer ce type qui se fait passer pour un autre et lui arracher son masque. Tu verras son vrai visage.

– Tu es un lâche, dit-elle. Tu veux être un homme mais tu n'oses pas me regarder dans les yeux. Les hommes regardent en face et ne parlent pas. Il y en a deux dans ta famille. Tu les hais de ne pas leur ressembler. »

Sylvain se lève. Il lui sourit.

« Tu embrasseras ta fille de ma part. »

Quand Clémence est née, il s'est tenu à distance. Il a gardé le silence.

Le patron le salue quand il passe devant le comptoir, suivi de son ange gardien aux yeux gris. Calixte a assisté à toute leur conversation. Est-ce qu'il sait, lui aussi ? Ça n'a plus d'importance. Audrey ne peut s'empêcher de plaindre Sylvain, malgré ce qu'il lui a fait : les enfants n'ont aucune chance de grandir s'il y a toujours quelqu'un pour les rattraper avant qu'ils tombent et se fassent mal.

Les portes de la remise sont ouvertes. Au fond du jardin, Clémence est en train de vider le contenu d'un tiroir dans un sac-poubelle – de vieux tubes de peinture, des pinceaux aux poils desséchés, des éponges. Sans l'avoir vu grandir, Éric a disparu. On l'a déclaré mort. À la demande du conjoint, vraiment ? Les souvenirs d'Audrey, mêlés aux sensations de son entrevue avec Sylvain, se brouillent. L'idée d'avoir voulu être veuve, même une seule seconde, dans un moment de faiblesse, lui paraît impensable. Elle ne peut pas avoir souhaité une chose pareille. C'était pourtant elle dans le bureau du maire, lui expliquant qu'elle n'avait pas la force de continuer avec cette incertitude, cette absence. Les mots et les impressions semblent appartenir à une mémoire greffée, empruntée à un donneur inconnu. Pourquoi est-ce qu'Éric ne l'appelle pas, s'il est vivant ? À quoi bon se cacher ? Tout le flou de sa vie s'évaporerait en un instant s'il lui revenait – si elle pouvait le revoir, une seule fois. Elle ne demande rien de plus.

Clémence se retourne et lui sourit, son beau visage dans le soleil. Ses épaules hautes, sa silhouette de coureuse.

« Il n'est plus question de teinture ? demande Audrey.

– J'ai trouvé des machins encore plus abîmés que tes cheveux, alors je les jette. Tu ne perds rien pour attendre.

– Tu te rappelles quand tu es tombée de la balançoire ? »

La marque de la corde est encore là, sur l'écorce de la branche qui part vers le toit de la remise.

« Je me suis évanouie.

– Pas tout de suite. En te relevant. Quand tu nous as vus accourir.

– Je me souviens de Papa. Tu étais dans la maison.

– J'étais là. C'est moi qui t'ai prise dans les bras. Tu étais consciente, tu me regardais, et tout à coup j'ai eu l'impression qu'une main invisible t'avait débranchée. Tu étais toute molle, des pieds à la tête.

– J'ai entendu la voix de Papa et je me suis réveillée. J'ai senti le picotement de sa barbe. Il répétait mon prénom. »

Elle fait un nœud pour refermer le sac-poubelle et en détache un autre du rouleau. Une odeur de mélisse et de menthe va et vient autour d'elles. Le massif de calament est encore en fleur.

« Je crois qu'il va rentrer bientôt. »

Clémence est penchée au-dessus de la haie. Ses omoplates sortent sous son débardeur comme l'aileron d'un requin.

« Qui ?

– Papa.

– Ça ne va pas recommencer. »

Clémence se retourne en souriant :

« Ne t'en fais pas. Tout se passe comme prévu. »

Clémence

2016

J'aurais dû me douter que tu n'étais qu'un homme le jour où tu as dit

Petite

Moi, ordonnant à mes larmes de se tenir bien sages dans ma gorge jusqu'à ce que tu sois parti, respirant l'odeur de ton pull comme un plongeur au fond de l'océan sa bouteille d'oxygène, la laine de ta manche sur mon cou, tu étais l'homme qui m'abandonnait, mon père qui ne voulait pas être mon père, je voyais les sapins se balancer à la fenêtre, le soleil au sommet de son arc à la verticale de Saint-Sauveur, la poudreuse toute fraîche qui me faisait cligner des yeux,

Ne pleure pas, petite, je reviendrai vite, je te le promets, et toi promets-moi d'être grande,

Non je ne pleurais pas, la voisine jouait de la guitare et la neige durcissait en silence sous l'érable du jardin, je suis triste mais je ne pleure pas, c'est le soleil et la neige, des notes de guitare tombées d'on ne sait où, la tristesse n'a pas de fin, si seulement le bonheur, les adultes croient toujours que la douleur se répare avec des mots à dire bien serrés, sans aucun silence pour se glisser entre eux, mon père me disait de ne pas regarder le soleil,

La neige réfléchit le soleil tu vas t'y brûler les yeux
petite, j'en sais quelque chose, regarde plutôt comme le
ciel est bleu, toute cette neige est tombée dans la nuit
on va filer comme des fusées dans la descente

Le ciel bleu et doux comme la manche de ton pull,
les sapins qui se balançaient sur la montagne immense,
toute cette eau gelée au fond de ma gorge, mes yeux
étaient gonflés de larmes, je voulais sentir la main et le
bras de mon père dans mon cou, il m'avait laissé son
pull, je sens encore son odeur, la laine le déodorant la
sueur l'essence la poussière qui le faisaient rentrer tard,
il venait m'embrasser dans mon sommeil, j'attendais
aussi longtemps que je pouvais, il va revenir avant que
je m'endorme, il a promis, les hommes disent qu'ils
reviennent mais ils ne reviennent pas,

Tu le sais bien que je reviens dans quelques mois

Les promesses comme des bonbons empoisonnés
qui vous brûlent la langue et vous percent le cœur,
les hommes ne tiennent pas parole et meurent, mais
toi tu ne pouvais pas mourir, j'étais trop petite, j'avais
six ans le jour où tu nous a laissées Maman et moi,
sept ans devant ton cercueil, tout ça n'avait aucun sens,
une boîte nue, absurde, un carton abandonné au pied
d'un monument, les soldats au garde-à-vous, officiers
et troufions du 27e bataillon d'infanterie de montagne,
la neige tombait de plus en plus fort et je voulais tirer la
langue pour goûter les flocons, tu ne devais pas mourir,
et même si les enfants de chœur chantaient, si le curé
disait que tu étais brave et courageux, sauvage et fort
comme un tigre des neiges, pensez-vous, c'est comme
ça qu'ils l'appelaient là-bas plus loin que le désert, tu
aimais la montagne et il a fallu que ce soit une vallée
de poussière et de mauvaises herbes, tu aimais trop la
montagne, Éric n'aimait rien plus que la montagne, la

montagne l'a aimé mais c'est le désert qui a fini par le prendre,

Il se fait tard petite il faut que j'y aille fais-moi un bisou je t'aime

Quel idiot ce ministre avec ses mots sucrés et moi qui l'écoutais avec mon cœur troué, vivre libre ou mourir, non mais quelle rigolade, je vous demande bien qui pouvait croire à des sottises pareilles, petits soldats du 27e bataillon, chasseurs alpins, ne regarde pas la neige qui brille petite, tu vas t'y brûler les yeux, comment peux-tu être mort alors que tu n'étais pas couché dans ce cercueil, tu es mon père tu ne peux pas mourir, ton cercueil restera vide sous la terre, je sais que tu reviendras même s'ils croient tous que tu es mort.

Les bêtes qui ne veulent pas comprendre

1990

Quatre-vingt-deux jours.

Éric barre les bâtons tracés à la craie. Les heures sont enchaînées les unes aux autres comme les maillons de l'antivol qui lie son poignet à l'anneau en fer sur le manteau de la cheminée. Ses journées ont l'immobilité du métal. La nuit, il ne dort pas. Il s'assoupit, il rêve, mais la conscience de sa captivité ne le quitte jamais.

Le matin à l'aube, le soir au crépuscule, le bourdonnement de la motoneige annonce l'arrivée de Calixte. Il lui apporte à manger avec un de ses hommes. Il le détache, le temps qu'Éric aille faire ses besoins, se lave avec un seau d'eau glaciale, se dégourdisse les jambes. Calixte vient toujours à la même heure – quelles que soient les conditions météo. Les premiers temps, Éric se disait que cette ponctualité traduisait une bienveillance silencieuse à son égard. À présent, il ne sait plus quoi penser. Cette précision d'horloger pourrait aussi être un supplice destiné à faire des jours un seul, jusqu'à ce qu'Éric ait perdu toute notion de l'avant et de l'après.

C'est toujours par le même silence que Calixte répond à ses questions :

« Comment va-t-il ?

– Il est sorti de l'hôpital ?

– Est-ce que je peux le voir ? »

La nuit, pour oublier la morsure du froid et celle de la chaîne sur son poignet, Éric repense à ce qui s'est passé. Le visage de Sylvain, enfoncé du nez à l'oreille comme une brique de lait à jeter. Lui, assis sur son lit, les mains couvertes de sang, attendant que la sirène de l'ambulance vienne briser le silence ancré entre les parois de la montagne. Le sang et le silence pour seules réponses. D'autres questions : est-ce que Sylvain respirait encore ? est-ce que l'os derrière la pommette a pu remonter et percuter son cerveau ? L'approche de l'hélicoptère au-dessus de la maison, une lumière rouge clignotant sur les murs de sa chambre. Sa mère qui lui dit : « Ne bouge pas. Surtout ne sors pas d'ici. » Les hélices qui n'arrêtent pas de tourner, la neige qui tourbillonne devant sa fenêtre pendant que deux hommes installent Sylvain sur une civière et le hissent à bord, le redécollage, l'engin brillant sur le ciel noir – l'hélico privé du Forestier venu au secours de son fils, dix fois plus vite que ceux de la sécurité civile et que les pompiers. De nouveau le silence, puis un mouvement dans la nuit. Une présence familière. « Suis-moi. » L'impuissance dans le regard de sa mère. « Dépêche-toi, dit Calixte, les gendarmes sont en route. »

Quatre-vingt-deux jours de faim, de froid et de saleté. Il se sent sale de ce qu'il a fait, d'avoir été soustrait comme de la contrebande aux forces de la loi, sale de ne pas savoir. Est-ce que c'est encore sa voix qu'il entend lorsqu'il se parle pour vérifier qu'il est vivant ?

« Hé hé hé.

– Va-t’en. J’ai assez d’ennuis comme ça.

– Pauvre petit Blanc ! Ton papa et ta maman t’ont mal fait. Tu es comme tous les autres, mais au moins toi tu le sais.

– Fous-moi la paix ! »

Le vieux Noir est adossé au manteau de la cheminée. Il porte l’anneau de sa mère à l’index.

« Rends-moi ça. Cette bague ne t’appartient pas !

– Hé hé hé ! Tu es comme tous les autres. C’est le Noir le voleur ? Vous ne savez rien de rien. Au lieu de parler, je veux que tu imagines. Une grande chambre sans fenêtre ni éclairage. Quatre murs pleins, épais, une obscurité totale.

– Je refuse d’écouter tes folies.

– Oui, je vole et je suis fou. Ainsi me voient les Blancs. Alors, tu y es ?

– Je ne t’adresse pas la parole tant que tu ne m’as pas rendu la bague que tu as volée à ma mère.

– La pièce dont je te parle, fils, c’est le monde tel que vous le regardez. Toi et ceux de la couleur que tu as choisie par erreur.

– Du charabia.

– Pour les sourds et les aveugles ! Toi, tu veux ouvrir les yeux. Il n’y a qu’une seule façon.

– Cause toujours.

– Le passé, fils. Il est toujours là et il faut le connaître. C’est la lumière qui entre dans la pièce. Sans elle, tu ne peux rien voir. Tu ne sauras jamais qui tu es, d’où tu viens, et le monde restera pour toi un mirage, comme pour tous les Blancs qui ferment les yeux depuis la Rencontre. Le Viol.

– La rencontre ? Le viol ? Qu’est-ce que c’est que ces stupidités ?

– Cette pièce où n'entre pas la lumière, c'est votre peau. Et votre peau, fils, c'est votre ignorance. Tu n'es pas prêt. La Rencontre n'a pas encore eu lieu pour toi.

– À t'entendre, on dirait pourtant qu'elle est arrivée il y a très longtemps.

– Tu ne m'écoutes pas, fils. Tu es toujours dans la chambre noire. Tu es prisonnier de la couleur que tu portes sur toi comme un vêtement à l'envers.

– Tu me fatigues avec ton refrain. Je ne suis pas prisonnier de ma couleur. Je suis enfermé chez Calixte.

– Chez le larbin, oui. C'est ta place. Larbin aux yeux cousus. Tu crois que tu es ici et maintenant. Je t'apprendrai à ouvrir le temps et l'espace comme un éventail. Le Blanc n'a aucune idée de ce voyage.

– Commence donc par m'enlever cette chaîne.

– Hé hé hé ! Tu as les mains froides. Veux-tu que je fasse du feu ? C'est toi qui m'as appris, autrefois. Tu t'en souviens ? »

Les flammes se reflètent sur l'anneau de sa mère.

« Pour la dernière fois, rends-moi cette bague.

– Tu vois comme tu es ? Tu veux être libre, et en même temps tu veux ce qui m'appartient. Tes bras sont entravés mais tu ordonnes. C'est très inconséquent. »

Éric baisse la tête. Il n'aurait jamais dû faire ça à Sylvain.

« Un remords pour Papa. Un regret pour Maman. Ça ne vous empêche pas de dormir, va. Ni de continuer à vous servir comme ça vous chante. Mais ta famille ne s'est pas toujours servie dans la montagne.

– Et s'il a des séquelles ?

– Ce que ton père a fait avec les gendarmes, la justice – c'est déjà arrivé. Loin d'ici. Tu m'écoutes, au lieu de geindre ? Là où l'histoire a commencé. Tu te crois le premier, tu rêves que tu es responsable de tes actes,

87

mais tout a déjà eu lieu. Il faudrait revenir en arrière pour changer le cours des choses. Ceux que tu appelles les tiens sont coupables depuis longtemps.

— Ce qui est fait est fait. Je ne me le pardonnerai pas. Il faut que j'aille en prison. Je veux payer.

— Tu es indécrottable, fils. Je repasserai quand tu seras mieux disposé.

— C'est ça. Bon débarras.

— Il y a quand même ce détail que tu dois connaître : ta femme, elle n'est pas blanche comme neige, elle non plus.

— Je n'ai pas de femme, pauvre fou !

— À qui est-ce que tu parles comme ça ? » demande le Forestier.

La silhouette de son père, à contre-jour, sur le pas de la porte. Le soleil est haut derrière lui, au-dessus du Pignals. Éric a du mal à garder les yeux ouverts.

« À qui est-ce que tu parlais ? répète le Forestier en entrant.

— À moi-même, répond Éric. C'est long, quatre-vingt-deux jours. On finit par adresser la parole à n'importe qui.

— Lève-toi. »

Éric se redresse. Des taches noires bourgeonnent sur le visage de son père. Ses bras sont libres, mais Éric ne les sent pas. Le printemps a fait fondre ses muscles.

« Il y a quelque chose qui ne tourne pas rond chez toi, dit le Forestier en tenant l'antivol dans les flammes. L'acier commence à rougir. Je t'ai mis ici le temps que tu te fasses un peu oublier, et aussi pour que tu réfléchisses. Tu as réfléchi ?

— Je n'ai fait que ça.

— C'est nouveau chez toi. Raconte-moi un peu. »

Le visage de son père, dans l'éclat du feu, est d'un fer identique à celui de ses chaînes. Dans la nuit de l'hiver, devant le pavillon, celui de Sylvain s'écoulait sur le bas-côté comme la neige de juin.

« La gendarmerie fait toujours ce que vous dites ? demande Éric. Au doigt et à l'œil ? »

Il y a un bruit écarlate, puis la brûlure du métal sur sa peau. Ce n'est pas de la douleur. C'est la mémoire des siècles qui entre en lui : les hommes blancs sur le pont, un enfant qui se met à courir sur le rivage, le soleil répandu comme de l'huile sur les flots gris.

« À quoi bon réfléchir si on ne comprend rien ? dit le Forestier d'une voix calme. Et il frappe. Voilà comment on dresse les bêtes qui ne veulent pas comprendre. » Sa voix est sans colère.

Éric est à terre, les genoux repliés contre la poitrine, les bras devant le visage. Il serre les poings contre ses tempes. Le fer rouge lui déchire les coudes et vibre dans ses oreilles comme un vent du diable. Sylvain est là, à côté de lui, couché dans la neige avec son visage qui s'en va. Il lui sourit. Éric veut l'aider, rattraper les morceaux de sa personne dévorés par la nuit.

Le vieux Noir, assis sur le capot de la voiture, les regarde en secouant la tête.

« Fils, tu fais fausse route une fois de plus », dit-il d'un air grave.

Il s'approche, tout près de son oreille, là où s'abattent les coups du Forestier.

« Je vais te dire trois choses. La première, c'est que ton frère n'est pas ton frère.

– Tu parles d'une nouvelle.

– La deuxième : ta fille a ton sang, mais ce n'est pas le tien.

– Dégage ! Je n'ai pas plus de fille que de femme, ou de vieux cinglé pour me faire la morale. Tu n'existes pas !

– La troisième, fils, c'est que la peau brûlée ne sent plus la blessure du monde. Si un jour tu songes à jeter ton costume de larbin aveugle, souviens-toi de ce que je viens de dire. »

Et le Noir disparaît comme une mauvaise note, en laissant quelque chose de travers dans l'air.

« Relève-toi, dit le Forestier. Et dis-moi ce que tu as compris.

– Je comprends ce que je vois », répond Éric en effleurant les coupures sur ses joues et ses avant-bras. Il a le souffle court. Une côte fêlée, sans doute.

« Et qu'est-ce que tu vois ?

– Le fer est encore chaud.

– En effet. Compte sur lui pour le rester.

– Qu'est-ce que je dois faire ?

– Tu vas redescendre à Isola et reprendre le cours de ta vie, comme si de rien n'était.

– Et les gendarmes ?

– Ils te laisseront tranquilles. Calixte les a mis sur la piste d'un voleur de poules, un Yougo si j'ai bien compris. Il se trouve que le type était recherché de l'autre côté de la montagne. Tout le monde est content.

– Il faut que je trouve un endroit. Je ne peux plus vivre avec Maman après ce qu'elle a vu.

– Ta mère est rentrée chez elle. De l'autre côté. Ça aussi, ça vaut mieux pour tout le monde. Le pavillon est à toi. »

Ses lèvres bougent à peine. Ses yeux ouvrent sur un grand vide. Éric pourrait lui arracher le visage. Il serait curieux de voir ce qu'il y a à l'intérieur de cet homme.

« Vas-y, dit le Forestier en lui offrant la chaîne. C'est ce que tu veux, n'est-ce pas ? »

Éric le repousse.

« Tu as raison. Ça n'arrangerait pas ton cas. Tu vas donc redescendre au Hameau. Le titre de propriété est désormais à ton nom. Tu ne chercheras ni à voir ta mère ni à prendre contact avec elle. C'est par moi que tu auras de ses nouvelles, et elle des tiennes. Je me fais bien comprendre ?

– Oui.

– Si tu enfreins ces règles, ne serait-ce qu'une seule fois, les gendarmes apprendront sur l'heure ce qui s'est vraiment passé. Je porterai plainte. Tu iras au trou pour des mois, peut-être des années.

– Où est Sylvain ?

– Tu ne poses pas de question à propos de Sylvain. Tu ne dis pas son nom. Il n'existe plus, pour ce qui te concerne. C'est lui qui décidera un jour ce qu'il veut faire de toi.

– Comment ?

– Je n'en sais rien. La décision lui appartient. Il a acquis ce droit.

– De vie et de mort.

– En quelque sorte. Tu préfères que je te livre aux gendarmes aujourd'hui ?

– Je dois y réfléchir.

– Tu n'as pas de tête, et tu n'as pas le temps. Alors ?

– Je ne préfère pas.

– Regarde-moi dans les yeux et jure.

– Sylvain fera ce qu'il veut de moi.

– Disparais. Je ne veux plus te voir. »

L'odeur de moisi envahit son nez et sa gorge sitôt la porte ouverte. Le plafond de la salle à manger est couvert d'une rosée qui goutte sur la moquette, le canapé, la télévision. Un morceau de plâtre s'est effondré sur la table basse. La fuite peut venir de n'importe où.

Sa chambre et celle de sa mère sont intactes. Elle est partie sans ses affaires – seule manque, sur l'étagère, la photo d'eux, Éric apprenant le chasse-neige entre ses jambes. Il n'a jamais su si c'est le Forestier qui tenait l'appareil ce jour-là.

Elle n'a pas laissé de mot. Audrey aussi l'a abandonné sans une parole. Ni lettre dans le courrier, ni message sur le répondeur. Son père aura envoyé Calixte pour saccager la toiture et effacer les traces des deux seules personnes qui l'aimaient.

L'électricité, l'eau et le gaz fonctionnent. Éric se déshabille et ouvre le robinet de la douche. La sensation de chaleur le fait frissonner. Il ferme les yeux. La saleté et la honte coulent sur sa peau. Il y a une irrégularité dans le mur qui masque les colonnes d'eau. Un des carreaux se détache.

L'anneau est là, derrière la paroi, au milieu de la poussière de ciment et de céramique. Éric l'enfile, sur l'index, et se met à crier – le cri du roi qui se souvient d'avoir été esclave, celui de l'esclave qui ne sait pas encore qu'il sera roi.

Bambara

2016

Avant qu'il s'endorme, la chenille bougeait encore. Elle a longé le mur, jusqu'à la base de l'applique. Elle est montée sur l'ampoule comme si elle ne sentait pas la chaleur. Il a éteint la lumière et s'est laissé glisser dans le sommeil. « Demain matin, a-t-il pensé, j'aurai la peau blanche et les Blancs me prendront pour un des leurs. » Des bestioles du désert lui ont rendu visite dans son sommeil. En rêvant d'un papillon inerte, les ailes grignotées par des fourmis, il a senti que quelque chose ne tournait pas rond. Le scorpion avançait dans la nuit.

Au réveil, la phrase résonnait dans sa tête mais il avait la peau noire, la peau qui a toujours été la sienne depuis qu'il est au monde. Camara Oumar, fils d'Oumar et de Ndiolé, petit-fils de Namori et Coumba, de Djibril et Oumou, descendant de la royauté mandingue. Le peuple bambara : ceux qui refusent le maître. Oumar Camara, né en 1935 à Haere Lao, la porte du désert. L'état civil a laissé un blanc sur sa date de naissance, ça ne manque pas de sel. Son père avait cavalé deux jours et deux nuits jusqu'à Saint-Louis pour annoncer la nouvelle. C'était très important pour lui d'obtenir un acte en bonne et due forme. Il l'a expliqué à l'officier français : son premier enfant n'était pas un enfant sauvage, un petit animal jeté de nulle part, sans histoire ni ancêtres. Il venait d'une longue lignée, la plus ancienne du Sénégal. Tôt ou tard, les gens du pays connaîtraient son nom, mais aussi le jour et l'heure de sa naissance. On organiserait des fêtes chaque année pour son anniversaire. Les origines d'un héritier ne peuvent pas être floues, sans quoi il y aura toujours quelqu'un pour colporter des bruits et prétendre qu'il s'agit d'un imposteur.

« Et puis quoi encore ? a dit l'officier. Tu veux peut-être aussi que je demande à M. le préfet d'apposer lui-même le sceau de la République ? Tu es en veine, il vient d'arriver de Sédhiou. »

Oumar, fils de Namori et de Coumba, ne parlait pas bien le français. Il a répété sa requête, sans expliquer. Il valait mieux ne pas discuter. L'officier avait du travail et pas de temps à perdre.

« Vous entendez ça, vous autres ? »

Les deux Nègres à lunettes qui servaient de secrétaires au Blanc ont attendu qu'il éclate de rire pour l'imiter. Ils avaient le dos et l'esprit courbés des gardes de cercle, ces auxiliaires de police que l'administrateur colonial chargeait des basses besognes : surveillance des travaux et récoltes forcés, prélèvement des impôts en nature. Chacune de leurs cellules indigènes était dressée pour obéir au Blanc.

« Foutez-moi ça dehors, a commandé l'officier. Estime-toi heureux que je ne te livre pas aux gendarmes. Ils ont d'autres chats à fouetter. »

Les deux esclaves l'ont traîné dans l'escalier et l'ont balancé dans la rue comme un paquet de linge sale. Une classe d'écolières blanches rentrait dans le bâtiment.

« N'ayez pas peur, mesdemoiselles, a dit l'un des Nègres de sa voix la plus servile. Ce Nègre du désert s'en retourne chez lui. Vous ne le reverrez pas de sitôt chez nous.

– Tu as entendu ? a dit l'autre en chiffonnant l'acte de naissance. On ne veut pas te revoir. Tu fais cent gosses si ça te chante, mais la France n'a pas besoin d'en entendre parler. Tu nous fais du tort.

– Allez, file !

– Rentre chez toi, Nègre des sables. »

Oumar père a obéi. Nègre, ce n'était pas une couleur, mais la réunion des cicatrices, des blessures, des humiliations. Les sévices et la soumission. C'était la meilleure arme des Blancs.

Oumar se redresse sur le lit. La chenille était vivante avant qu'il s'endorme. Il en est sûr, aussi sûr que sa peau était noire hier soir. Il se souvient de tout ce que son père lui a raconté. Noir, c'est l'impossibilité d'oublier. Il y a longtemps, un enfant Camara a vu arriver le premier bateau des Blancs. Il ne savait pas qu'il était noir.

D'autres bateaux sont venus. Les Blancs ont donné à l'enfant le nom de « Nègre » et lui ont tout pris. Sa couleur est la seule chose qui reste aux descendants de l'enfant. Les Nègres savent qui ils sont. La couleur est l'être des Nègres et ils sont la couleur – qu'ils acceptent l'injustice ou qu'ils se révoltent. Même si on leur crevait les yeux à tous, même si tous les Nègres naissaient aveugles, cette conscience est si ancienne qu'il leur faudrait des siècles pour arracher leur peau et dire qu'ils sont autre chose.

Camara Oumar voulait devenir le premier Nègre écorché – le premier à revoir le monde à travers les yeux des Noirs qui n'étaient pas encore des Nègres, ceux d'avant la Rencontre avec les Blancs. Il avait trouvé un chemin et un véhicule. Il connaissait les coordonnées d'un portail entre le désert et la montagne. Une fissure minuscule où seuls les esprits agiles savaient se faufiler. Il avait tout calculé, le lieu et le moment. Il a dû se tromper de signe. À côté de la plinthe, le papillon ne bouge pas. Les fourmis font leur travail. Oumar attrape l'insecte mort entre le pouce et l'index, abasourdi par son erreur. La peau de ses doigts devrait être blanche ce matin.

L'homme dans le miroir, ce n'est pas lui. C'est le visage balafré du vieux Noir avec quarante ans de moins – un autre homme qui a son âge. Ses lèvres bougent quand Éric parle :

« Camara, la dernière fois que je t'ai vu, je t'ai dit d'aller au diable. Tu crois peut-être que tes tours de passe-passe m'amusent ? J'ai mieux à faire que de te regarder dans le blanc des yeux. »

Pas de réponse.

« Tu te fous de moi ? Tu es un vieillard et tu fais des blagues de gosse. Je n'ai pas envie de profiter de ta faiblesse, mais tu vas m'obliger à te botter le cul. »

Tu es un crétin, fils. Le dernier des crétins.

« Arrête ! Comment fais-tu pour parler dans ma tête ? »

Le visage dans la glace, avec ses scarifications en dents de scie, ressemble à un de ces masques en bois qu'on vendait sur les marchés le long des eaux boueuses du Sénégal. Sylvain en avait trouvé un après une patrouille.

« Chef, avait-il demandé. Il s'appelle comment celui-là ?

– C'est l'esprit Sans-Nom, avait répondu le marchand.

« – Et qu'est-ce qu'il fait, cet anonyme ?

– Il protège contre les djinns. Tu connais ?

– J'en ai tué cinq depuis que je suis ici.

– Les djinns, on ne peut pas les tuer. Ce sont eux qui viennent la nuit pour emporter ton âme.

– Je mens, alors ?

– Si tu as tué quelqu'un, ce n'était pas un djinn. Dieu te pardonne. Et si c'était un djinn, tu ne l'as pas tué. Dieu te protège.

– Laisse ton dieu de primitif en dehors de ça. Je n'ai besoin ni de sa protection ni de son pardon. Combien pour ta camelote ?

– Cinquante mille.

– En voilà dix. Je pourrais aussi le prendre sans rien te donner. Tu as le droit de dire merci. »

Éric observait la scène depuis un étal voisin. Le marchand s'était levé et avait attrapé le bras de Sylvain :

« Il faut me rendre. Je ne suis pas mendiant.

– Ne me touche pas ! » avait hurlé Sylvain en l'écartant d'un coup de coude. Son Famas était pointé sur le front du marchand.

« Je ne suis pas mendiant. Le masque n'est pas à vendre. Tu es voleur.

– Baisse les yeux.

– Il faut me rendre.

– Apprends à parler français, putain de sauvage. »

La crosse du fusil avait fait un bruit sec en s'écrasant contre la tempe du marchand. Éric avait essayé de le ranimer.

« Putain de sauvage », avait répété Sylvain. Il avait craché par terre, puis il avait mis le masque devant son visage et Éric l'avait entendu rire.

« Tu réponds, oui ou non ? » dit Éric à l'homme qui parle dans sa tête.

Il faudrait savoir.

« Parle normalement, pas à l'intérieur ! »

Tu veux que je réponde ou que je me taise ?

« Je veux te parler comme avant, quand tu étais toi et que j'étais moi. »

Quelque chose a mal tourné. Je ne sais pas quoi. J'en suis au même point que toi, je constate les dégâts. Comme le jour où tu n'as rien fait au marché.

« Qu'est-ce que tu racontes ? »

Tu as regardé celui que tu appelles ton frère commettre un crime et tu n'as pas levé le petit doigt. Je me trompe ?

« Comment le sais-tu ? »

Tu n'as pas encore remarqué que rien ne m'échappe, fils ? La source de mon malheur est là. Je n'ai pas demandé à voir, moi. Mais je me souviens de tout. Je t'ai vu au marché, plus tard à côté du vieux dépôt de munitions. Je t'ai observé ici avec ton père et avec ta femme. Tu regardes les autres faire, tu laisses dire. Tu penses que tu te sacrifies ? Tu es habité par l'esprit de faiblesse. Dis-toi que tu n'es pas le seul : j'en ai vu bien d'autres avant toi. Tous les miens sont des faibles, et tu as devant toi le plus faible de tous.

« Je ne comprends pas ce que tu me veux. »

Je veux qu'ils paient pour ce qu'ils nous ont fait, fils. Pour le Viol. Pour nous avoir rendus faibles et honteux de notre faiblesse. Si je ne me suis pas trompé dans mes calculs, tu es l'arme qu'il me faut. Je t'ai choisi pour être le bras de la vengeance. Grâce à toi, je pensais revenir à ce que nous étions avant. Mais j'ai de plus en plus de doutes. Plus j'écoute tes jérémiades, plus je me dis que j'ai misé sur le mauvais cheval.

Le jour où les Blancs sont venus, le coq a chanté à minuit, réveillant tout le village. Puis il s'est tu d'un coup. Un grand silence est tombé sur la ferme, sombre et lourd. À l'aube, les poules se sont mises à courir dans tous les sens. Le père de Camara l'a tiré du lit, mais ce n'était pas parce qu'il avait oublié d'aller traire les vaches.

« Tu vas prendre les bêtes et tu vas t'occuper de ta sœur. En vitesse ! Ne te retourne pas. »

Camara s'est habillé et a rassemblé le bétail. Il a aidé sa sœur à fourrer quelques affaires dans un pagne qu'ils ont roulé, puis accroché sur son dos. Leur père les attendait dehors.

« Qu'est-ce qui se passe ? a demandé Camara.

– L'histoire recommence. Prends ça, fils. »

C'était l'uniforme du grand-père Namori, qui avait combattu lors de la bataille de la Marne avec le 61e bataillon de tirailleurs sénégalais. Camara connaissait par cœur ses exploits. Mai 1918. Les Allemands avaient pris le Chemin des Dames et fonçaient vers Reims, le dernier rempart sur la route de Paris. Une section du bataillon s'était retranchée au nord de la ville, dans le château de Merfy, pour freiner leur avance – trente-cinq soldats coloniaux sous les ordres d'un Blanc à qui l'état-major avait donné l'ordre de tenir le plus longtemps possible.

Trente-cinq Nègres. Trente-cinq aveugles.

Namori et les autres avaient résisté pendant des heures. Qui sait ? S'ils s'étaient rendus, les Allemands auraient peut-être gagné Paris. Mais ces Nègres aveugles s'étaient battus comme de beaux diables, pour la République, et l'artillerie ennemie les avait fauchés jusqu'au dernier. Trente-cinq cadavres parmi les milliers de morts venus des colonies.

Seul le lieutenant qui dirigeait la section avait dit merci. C'est par sa lettre que l'histoire de Namori avait commencé à être racontée. Camara père l'avait reçue des années après la mort de son grand-père, avec l'uniforme du défunt.

« Papa », a dit Camara. C'était trop tard. Sa sœur regardait le ventre clair de la nuit. Elle cherchait peut-être les Blancs, ou le fantôme de leur mère. La fillette n'avait plus toute sa tête depuis la mort de celle-ci.

« Qu'est-ce que vous faites encore ici ? Filez, bon sang. Vous n'avez plus le temps. »

Les deux enfants sont partis avec les bêtes. Ils ont marché jusqu'à la clairière au puits où Camara avait l'habitude de les faire boire.

« Reste ici, petite sœur. Les vaches ne bougeront pas si tu ne bouges pas. Tu es en sécurité. Regarde le jour se lever et attends mon retour. »

Revenu au village, il s'est caché derrière le poulailler du vieux Sakho. Une dizaine de gendarmes blancs, à cheval, tenaient en joue les voisins rassemblés sur la place. Son père était à genoux, les mains liées dans le dos, devant un homme dont les médailles révélaient l'autorité sur les autres. Il portait une décoration aux couleurs du drapeau français sur la poitrine et tenait entre ses doigts un objet brillant.

« Préfet Lazar ! a crié le père de Camara. Cet anneau m'appartient. Il est à ma famille, autant que les bêtes que vous m'accusez d'avoir volées. Ma pauvre femme l'a porté jusqu'à son dernier souffle. Vous n'avez pas le droit de me le prendre.

— Où sont les bêtes ? a coupé le Blanc. Je sens leur odeur de vaches nègres. Mes hommes finiront par les trouver mais ils seront mécontents d'avoir dû chercher par ta faute. Ils ont trois jours de cheval derrière eux, trois devant. Leur patience est usée comme une vieille corde. Pour tes enfants, il vaudrait mieux que tu parles.

– Vous ne les retrouverez pas. C'est grand, le désert. Vous avez vos cartes et vos compas. Vous avez vos montres. Mais le temps est avec nous. Ce sont mes enfants qui vous retrouveront, dans dix ou dans cent ans.

– C'est ton dernier mot ?

– Si Dieu le veut.

– Au nom du peuple français, le tribunal de Saint-Louis te condamne à mort, Oumar Camara. La sentence est sans sursis et à effet immédiat. »

Le coup de feu résonnait encore dans l'air blanc du matin quand le corps de son père s'est affaissé sur le côté, comme un sac de sorgho.

Les mains invisibles du mort étaient sur sa bouche pour empêcher Camara de crier. Le Blanc est remonté en selle et le convoi des gendarmes est passé à côté du poulailler de Sakho avant de partir vers le sud, dans la direction opposée à la clairière au puits. Il faisait grand jour à présent. Sur le doigt du Blanc, le soleil faisait étinceler l'anneau. Des larmes brûlantes comme le sable coulaient sur les joues de Camara. Entre les pleurs des femmes, un voisin s'est mis à chanter en bambara :

« D'Ourossogui je vais à Mal, en passant par Galoya
Je vais à Mal, je vais à Mal,
Sous l'étoile pâle d'Uru-anna,
L'eau du grand fleuve est poison
Il y a deux jours que ma mule est morte de soif
Je vais à Gamadji sans passer par Haere Lao
Ma bien-aimée, je pense à toi à l'entrée de Dagana
Il y a cinq jours que ma mule est morte

Je marche de Tilène à Maka Diama
Moi aussi je serai couché dans le sable gris
Avant de revoir ton visage
Sur le port de Saint-Louis »

La route de Nice

1998-2000

« Éric ? »

Derrière la fenêtre de la cuisine, des halos tremblent dans le vent et le noir. La pluie d'octobre brouille tout – le relief de la montagne, les immeubles de la station, les bruits familiers de la nuit.

Il a passé la soirée à tirer des fils électriques et à repenser les branchements. La cuisinière, dès qu'on utilisait deux plaques en même temps, faisait disjoncter l'alimentation. En ouvrant les murs, il s'est aperçu que tous les appareils avaient été mis en service sur le même circuit. Ça lui a donné matière à réfléchir. Il y a longtemps, son père avait installé sa mère dans le seul pavillon du Hameau qui n'avait pas trouvé preneur. Il savait qu'une Italienne sans papiers ne serait pas du genre à crier au scandale pour un vice caché. Mais lui, leur vilain petit canard, comment peut-il vivre encore ici ? Vivre – façon de parler. À sa place, n'importe qui aurait claqué la porte, gendarmes ou pas. Il n'est qu'un cafard, heureux de faire son lit dans les ordures de l'homme le plus riche de la région.

Éric est allongé sur le dos, la tête contre la peinture écaillée du radiateur. Il reste deux packs de bière dans

103

le frigo, du pain de mie rassis, une croûte de fromage vieille comme le monde. Mais il n'a pas faim, il a soif. Éric a commencé à boire en rentrant du travail, devant les jeux télévisés, les chaînes d'information continue. Les désastres de pays lointains réfléchissaient ses désastres intérieurs ; ils empêchaient le vieux Noir de lui rendre visite. Son plan a fonctionné, il y a des années qu'Éric ne l'a pas vu. La honte, elle, n'a pas bougé d'un pouce. Les idées noires lui sautent dessus comme des fauves affamés au réveil. Le matin, il avale sa première gorgée avant d'avoir ouvert les yeux. La seconde, au moment de sa pause déjeuner, quand ses pensées ne sont plus occupées par le travail. Et ainsi de suite. Le whisky lui tient la main jusqu'à ce que le sommeil l'engloutisse, et avec lui la peur, le dégoût, l'ennui.

Dans le miroir de la salle de bains, il y a une sale gueule, la crasse dans les plis de son cou, la barbe qu'il n'a pas rasée depuis des mois. Tout ce qu'il reste de lui, c'est quelque chose de vivant en train de se décomposer. Abréger le processus en se jetant d'un à-pic ? L'idée a de l'allure. Mais si un autre monde existe et que le vieux Noir y a élu domicile, Éric aime autant remettre à plus tard leurs retrouvailles.

« Éric ? »

Il lui arrive d'entendre des voix. Ça n'a rien à voir avec cet esprit du désert qui n'existe que dans sa tête malade. Il entend les voix de sa vie d'avant, celles qu'il aimait et qui l'ont laissé tomber. Les écouter endort son angoisse – du moins, c'est ce qu'il se raconte.

Il reconnaît Audrey à sa façon de dire son prénom.

« Tu es là ?

– Je peux savoir comment tu as eu mon numéro ?

– C'est toujours le même.

– Le téléphone ne sonne jamais ici.

– Je suis heureuse de t'entendre. Ça va ?

– On se débrouille. Il fait beau à Paris ?

– Je n'habite plus à Paris. Il y a longtemps que je suis partie.

– Longtemps, oui. Il pleut ici. Écoute. »

Il ouvre la fenêtre au-dessus du plan de travail. Avec l'air humide entrent des sensations d'enfance : un rhume d'automne, la pluie sur le carreau, le parfum de sa mère autour de son lit longtemps après l'extinction des feux. Il fronce les sourcils. Ce n'est pas sa bouteille de whisky qu'il a en main, mais le téléphone.

« Tu me manques, Éric.

– Tu es partie.

– C'est toi qui as disparu. Ta mère ne savait pas où tu étais. Elle a dit que tu reviendrais, et de ne pas m'en faire. Et puis elle n'a plus répondu. J'ai appelé tous les jours.

– Je n'étais pas disponible.

– Où es-tu allé ?

– On m'a emmené quelque part dans la montagne.

– On ?

– Je ne veux pas en parler. Je suis resté longtemps là-haut.

– Qu'est-ce qu'ils t'ont fait ?

– Rien. Je suis seul responsable.

– Ça n'a aucun sens. Ton frère aussi était introuvable quand j'ai quitté la station avec mes parents. J'étais folle d'inquiétude. Je pensais que je ne te reverrais jamais.

– Donc tu as arrêté d'appeler.

– Le garçon avec qui j'ai passé la nuit ne parlait pas comme ça. Il était doux et gentil. Dis-moi ce qui t'est arrivé. »

Sa respiration au bout du fil. Derrière elle, il y a de la musique et, au loin, les bruits d'une ville sous la pluie. Son visage est flou, comme une blessure voilée par de la gaze.

« D'où est-ce que tu m'appelles ?

– Je me sens seule et je pensais à toi. J'ai fini mes études. Je peux aller où je veux maintenant.

– Moi aussi je suis seul. Je m'ennuie, je n'ai rien à faire et je bois trop.

– Est-ce que tu vas te réveiller si je reviens ?

– Si tu reviens ?

– J'étais amoureuse de toi. »

Audrey. Il dit son nom, elle est là. Son corps. L'odeur de sa nuque. Sa voix cassée. Le goût de sa langue et de ses lèvres. S'il rêvait, il se verrait en train de rêver. Il ne rêve pas. Son sommeil est vrai. Le bruit qu'elle fait en prenant sa douche et en se maquillant. La tasse de café qu'elle se prépare. Sa façon de croiser les jambes quand elle s'assoit sur le canapé. Quand il part au travail, ou que c'est elle qui part la première, son absence redevient réelle. Les premiers mois, il y a un trou dans les jours : ils durent comme un supplice. Il faut se répéter qu'elle est revenue et qu'elle restera. Elle tient sa promesse.

Elle a trouvé un poste d'assistante à l'école primaire d'Auron. Une institutrice doit s'en aller à la fin de l'année. Si Audrey veut la remplacer, le directeur fera le nécessaire pour qu'elle soit titularisée. Les enfants aiment sa présence, elle sait comment leur parler. Avec l'argent de la vente du pavillon, ils pourront faire un emprunt, s'installer en bas, au village. Audrey a trouvé une maison dans une rue un peu à l'écart. Il y a du travail, beaucoup de rénovations, mais rien de trop coûteux ni qu'il ne sache faire. Il prendra son temps. Quand ils ont visité, elle s'y est vue tout de suite. Il y a un jardin, des fleurs dont elle veut apprendre le nom, un grand érable auquel ils accrocheront la balançoire.

Ils auront au moins trois enfants. Elle dit qu'il n'y a pas de temps à perdre.

Éric n'en veut aucun. L'idée d'une responsabilité supplémentaire lui glace le sang : « J'ai cette dette. Je me suis engagé. » Impossible de donner plus de détails.

Elle comprend, mais demande si cet engagement durera plus longtemps que leur histoire. Qu'est-ce qu'il peut répondre à ça ?

Elle est sûre qu'il sera un bon père. Ils ne parlent jamais de leurs parents, elle n'essaie pas d'ouvrir les portes qu'il a fermées à double tour. Elle dit : « Tu es une forteresse. » Ces mots font naître en lui la même fierté qu'à l'époque où le Forestier le remettait debout après une chute à skis. Éric n'était qu'un enfant : « Tu te fais mal, mais tu ne pleures jamais. »

Parfois, Audrey mentionne Sylvain. On dirait qu'elle guette une réaction. Elle l'a aperçu à la station-service, dans la queue de la supérette, au comptoir d'un café. Elle veut savoir s'il travaille. Éric n'en a aucune idée. Il n'a pas plus de nouvelles du Forestier. Comme tout le monde, il entend parler des succès de la scierie. « Après l'Europe, lit-on dans la presse régionale, le bois de Maleterre à l'assaut des marchés mondiaux. » Il se tient au courant, ça ne va pas plus loin. On ne le voit plus dans les bars. Il se montre le moins possible à Isola, évite les endroits fréquentés par les hommes de son père. Il ne s'écarte pas de cette discipline. Jamais un pas de travers, même si le bonheur qu'elle protège repose sur un impossible oubli.

Un jour, Audrey rentre de l'école. Elle dit : « J'ai vu ton frère à la sortie. Il a attendu que tous les enfants soient partis pour me parler.

– Qu'est-ce qu'il voulait ?

– Il était désolé de ne pas être venu plus tôt. Il est très occupé. Il m'a donné sa carte. »

La carte de visite a la teinte claire du sapin. Elle est ornée d'élégantes lettres métalliques : Scierie Lazar & Fils. Sylvain Lazar. Directeur de la Stratégie.

« Il a appris pour la maison. Si on a besoin de quoi que ce soit.

– Oublie, dit Éric en posant la carte sur la table de la cuisine.

– C'est ridicule. Où est le mal si ton frère veut nous aider ? À la scierie, tu pourrais gagner au moins le double de ton salaire.

– Ils ne font plus partie de ma famille. Ni lui, ni mon père. Je n'ai jamais été comme eux.

– Ce n'est pas ce que dit Sylvain.

– Il raconte ce qu'il veut. Je sais ce qui s'est passé et je sais qui je suis. »

Elle n'insiste pas.

L'été arrive, ils emménagent dans la maison. Les soirées se prolongent, douces, calmes. Ils écoutent de la musique au jardin. Il lui apprend le nom des fleurs et des constellations. À la nuit tombée, il l'embrasse et se lève pour retourner au joint des fondations. Un spot éclaire le mur, le sombre et le brillant de la pierre. Les soirs où il en a le courage, il pose de la laine de verre entre les solives du grenier. Il la croise dans l'escalier. Elle s'occupe des enduits à l'étage. Vers une heure du matin, il se lave et vient se coucher auprès d'Audrey, fatigué et heureux. Début juillet, elle reçoit une lettre du rectorat qui lui confirme son affectation à l'école primaire d'Auron. Elle réfléchit déjà aux cours et à la décoration de sa classe. « On a deux mois, dit-elle, jusqu'à la rentrée. » Il ne lui demande pas pour quoi faire.

Un soir, il l'attend dans le jardin. Les jours ont commencé à raccourcir. Sa vieille angoisse est là, qui lui griffe l'estomac. Il se met à pleuvoir. Audrey est partie dans l'après-midi – une brocante quelque part sur la route de Nice. Elle conduit bien, mais le tas de ferraille que son père lui a donné quand elle a passé le permis n'a pas la meilleure tenue de route. La lune renvoie une lumière pâle sur la montagne. Audrey devrait être rentrée. La prochaine fois qu'ils descendront faire les courses dans une grande surface, il faudra acheter des téléphones portables.

Éric reconnaît le moteur éreinté de la R5. Une portière claque et il entend Audrey chercher sa clé sur le trousseau. Elle sait pourtant que la porte de la maison est toujours ouverte. Elle ne le rejoint pas dans le jardin.

« Il n'y avait rien qui te plaisait ? » demande-t-il en la trouvant dans la cuisine. Elle finit une bouteille d'eau.

« Tout est dans le coffre. On s'en occupera demain. Je suis morte. »

Elle passe devant lui sans l'embrasser et va prendre une douche. Il l'attend sur leur lit. Quand elle ressort, il enlève l'anneau de sa mère et le lui donne.

« Il faudra le faire resserrer. »

Elle demande : « Pourquoi maintenant ? »

Elle s'endort dans ses bras, une ride inquiète entre les sourcils. Un oiseau solitaire appelle ses petits dans la nuit. Il y a un bourdonnement électrique sous la fenêtre. Éric a oublié d'éteindre le spot. La lune vibre au-dessus du Pignals quand il ferme les volets.

Le samedi d'après, ils pendent la crémaillère avec la voisine et les collègues d'Audrey. Les invités parlent fort et boivent beaucoup, on fait des compliments au couple sur la maison. Éric, bière à la main, explique ce qu'il va planter au printemps. Audrey regarde la maison avec tristesse, comme si elle avait perdu quelqu'un. Il a déjà vu ce regard un jour en venant la chercher à l'école. Elle était assise dans la cour et surveillait un petit garçon dont les parents tardaient. Il courait d'un arbre à l'autre, tantôt en murmurant, tantôt en criant des ordres. Ce n'était qu'un enfant qui jouait à la guerre. La cour était vide, il n'y avait personne d'autre. Éric avait attendu. Invisible. Audrey l'aurait vu tout de suite si elle n'avait pas été emprisonnée par la pensée de cet enfant qu'il lui refusait.

Un matin de septembre, il ouvre les yeux. Audrey a pris sa main et l'a posée sur son ventre. Elle essaie de sourire. La tristesse est toujours là, qui éteint ses pupilles. Audrey a peur. Dire quelque chose, c'est dangereux. Alors, il sourit lui aussi.

Elle secoue la tête comme s'il ne comprenait rien :

« On a un peu de temps devant nous. Je ne suis qu'à six semaines.

— Tu le voulais.

— Et toi ? Tu le veux, maintenant qu'il est là ? »

Il fixe ses yeux tristes en silence. Répondre non ? Le bébé n'est plus une idée dont on peut parler sans crainte de la renvoyer au néant. Audrey porte un enfant, le leur, et elle veut savoir s'il compte le garder. Chaque mot aura ses conséquences. Il n'a plus le droit d'être vague, de se cacher derrière d'autres obligations. Ça ne vaut même pas la peine de demander à Audrey comment c'est arrivé. Un bébé grandit dans son ventre, cette réalité éclipse toutes les autres.

Il hoche la tête.

« Dis-le-moi, Éric. J'ai besoin de l'entendre.

– Je ne sais pas si cette montagne est un bon endroit pour les enfants, mais je veux ce bébé avec toi.

– Moi aussi », répond-elle en le regardant de ses yeux d'où la lumière a fui.

En sortant de la maternité, il couvre le couffin avec son blouson. Un vent de sud souffle sur la montagne. Les rafales ont commencé la nuit, quand Audrey a eu ses premières contractions. La neige tourbillonnait dans les phares de la R5. Il y a eu deux avalanches depuis, une à Sisteron, l'autre du côté italien. Un guide et deux touristes sont portés disparus. Dans la salle d'attente, la télévision a annoncé que la sécurité civile venait d'abandonner les recherches.

Il évite les plaques de verglas. Le froid fouette son cou et ses phalanges. Il fait moins trois ou moins quatre degrés. Dans la voiture, il pose le couffin sur la banquette arrière, met le moteur en route et allume le chauffage. Le souffle de l'air chaud efface les bruits alentour. Il attend. De la buée commence à couvrir les vitres.

Il se retourne et regarde Clémence qui dort à poings fermés. « On n'en voit pas souvent par ici des beaux bébés comme ça », a dit la sage-femme. S'il l'installe dans le siège-auto, elle risque de se réveiller. Il se laisse aller à la torpeur. Audrey est en train de saluer les infirmières. Elle ne tardera pas à sortir.

Deux coups sourds sur la tôle du toit, une voix qu'il ne reconnaît pas : « Je vais planter un arbre pour ta fille. Tout là-haut, mon vieux ! Dès que la terre sera moins dure. »

Éric essaie d'ouvrir la portière, en vain. La masse noire d'un anorak lui bouche la vue. Si ce con réveille le bébé –

« Je choisirai notre plus beau sapin, tu me connais ! gueule le Forestier encore plus fort. Pas question de faire dans la demi-mesure !

— Laisse-moi descendre ! Fous le camp ! »

Il a parlé trop fort. Le bébé se met à pleurer, et c'est à cause de lui. Tout commence de travers.

« Éric ! »

C'est Audrey qui l'appelle. « Pourquoi elle pleure comme ça ? »

Il sort et se retrouve face au Forestier.

« Ne t'approche plus jamais d'elle, dit Éric en le repoussant. Tu m'entends ? Je te tuerai. »

Clémence se calme dans les bras d'Audrey. Le bébé regarde son père avec étonnement, comme s'il avait déjà compris qu'il n'y a rien à espérer d'un homme comme lui.

« Comme tu y vas ! dit le Forestier. C'est ma petite-fille, quand même. Je peux bien l'embrasser ! La première, avec ça ! Je vous félicite tous les deux de la part de la famille. Sylvain aurait aimé venir, mais il est à Annecy. Il est entré hier au 27e bataillon des chasseurs. Tu as jusqu'à demain pour le rejoindre et t'engager. Ne fais pas cette tête, va. C'est avec les civils qu'on fait les militaires. »

Mille galaxies

1999

La nuit tombe.

L'eau roule sur le pare-brise. Audrey n'a pas la force de redémarrer. Il a commencé à pleuvoir quand elle quittait la brocante, au moment où elle rangeait le saladier, les deux chaises et le petit secrétaire dans son coffre. Elle a payé ces babioles beaucoup trop cher. Éric lui avait proposé une promenade en forêt, et elle ne voulait pas lui dire qu'elle n'en avait pas envie. Il aurait fallu tout dire : qu'elle détestait sa montagne, qu'elle se demandait ce qu'elle était revenue faire dans son trou, que leur vie lui flanquait le cafard. Elle ne pouvait pas rentrer les mains vides.

Des phares apparaissent dans le rétroviseur, bientôt avalés par l'obscurité. La R5 vibre quand une voiture passe à sa hauteur. Audrey aurait dû se garer plus loin de la route, mais le ravin est là, à quelques mètres. Qu'il fait sombre. Quand il pleut ici, que le brouillard gomme les lignes de crête, on se sent enfermé dans une prison sans limites. L'été aurait dû lui faire du bien. La chaleur et la longueur des jours. Le déménagement aurait pu être un nouveau départ, loin de cet horrible pavillon où Éric croupissait en attendant Dieu sait quoi.

Mais ce n'est pas l'hiver, ni la neige, ni le froid. C'est la montagne elle-même. C'est Éric.

Elle l'aime. Elle n'en doute pas. Elle l'aime depuis le cinéma, le flipper, la gare de la télécabine. Elle l'aime à cause de la faiblesse des autres hommes : ils font l'amour comme des brutes. Dans la rue, à Paris, elle détestait la matière visqueuse de leur regard collée à son T-shirt. Ceux avec qui elle couchait, elle détestait leur faim, leur façon fébrile de malaxer ses seins, de les fourrer comme de la brioche dans leur bouche. Ça la dégoûtait que leur appétit pour elle remonte à l'enfance, à leur petite maman. Elle détestait la grimace qu'ils faisaient en se vidant – toujours la même, quel que soit le visage. Elle les haïssait de la forcer à se demander si elle avait le droit d'être quelqu'un.

Je veux me branler sur tes seins.

Je veux jouir dans ta bouche. Avale.

Je vais jouir sur ton cul.

Ça te fait jouir ? Bien sûr que ça te fait jouir.

Dis-moi que tu aimes ça.

Dis-le.

Dis-le.

Dis-le.

Éric est le seul avec qui elle a fait l'amour pour de vrai. Il dit : regarde-moi. Leur première nuit, elle n'a vu que ça, le feu noir qui prenait au fond de ses yeux. Il n'avait jamais couché avec une fille, mais il était plus homme que tous les autres.

S'il ne veut pas d'enfant – il n'y a pas de façon acceptable de finir cette phrase. Elle s'en ira ? Et pour aller où ? Elle aime vivre avec lui. Elle a besoin de sa présence. Elle essaiera de le faire changer d'avis ? Il n'y a pas de créature plus butée dans la montagne. Alors quoi ? Elle renoncera ?

Plutôt crever.

C'est la pleine lune, ce soir. Il y a une tristesse ancienne dans l'air. Le ciel a disparu. La montagne aussi. Il ne reste plus que la pluie, le crépitement des gouttes sur la carrosserie, et la blancheur de ses souvenirs, comme ces machins oubliés depuis des années sous le siège passager, qui n'ont plus que la forme et l'odeur du passé.

Deux taches lumineuses, loin devant. Le bruit du moteur est familier, rond, égal – une voiture de riche. Elle éteint ses phares et regarde le halo grossir sur le pare-brise, chargeant chaque goutte de lumière. Les appels de phare l'éblouissent. Elle ferme les yeux en attendant que la voiture soit passée.

« En panne ? » dit la voix de Sylvain. Il a laissé son moteur tourner.

« Non. »

Elle sort. S'ils parlent, elle veut être à sa hauteur. Ils font les cent pas entre son épave et le pick-up de Sylvain.

« Alors ?

– Rien.

– Moi non plus. Rien de rien. Tu m'offres une cigarette ? »

La nuit couvre sa cicatrice. Il a le même sourire gêné qu'Éric.

« J'ai appris pour l'école. Félicitations.

– Merci.

– Ça y est, tu es enracinée.

– C'est juste un travail.

– Et une maison.

– Je suppose, oui.

– Si j'ai des enfants, tu les auras dans ta classe.

– Peut-être. Si je reste.

– Ça fait beaucoup de si. »

Elle jette sa cigarette. Il coupe le moteur. La lune est juste au-dessus d'eux, voilée, comme sa cicatrice.

Il dit :

« Je sais ce que tu veux. »

Elle fait semblant de ne pas entendre. Il répète les mots sur un ton identique.

« Il faut que je rentre.

— Tout peut encore changer. Je t'ai attendue. Je te donnerai tout ce dont tu as besoin. Tout ce que tu n'as pas. »

Elle le regarde dans les yeux :

« Je n'ai rien entendu, d'accord ? On va rentrer chacun de son côté et oublier ce que tu viens de dire.

— Tu ne comprends pas ?

— Si.

— Non, tu ne comprends pas.

— Ne m'oblige pas à dire quelque chose qui va te blesser.

— Je ne peux pas te laisser faire cette erreur. »

Il lui bloque le passage. Elle a un rire méprisant, plus que nécessaire.

« Qu'est-ce que tu fais ? Il faut que j'y aille. »

Il l'attrape par la mâchoire. Le froid est coupant sur sa main et sur ses lèvres. Il y a un danger qui le ronge, quelque chose d'inassouvi. La nuit grandit autour d'eux. Audrey lui crache au visage pour enlever la salissure de son baiser. Il ne fallait pas. C'est trop tard. Elle s'essuie la bouche.

La salive luit sur la cicatrice de Sylvain. Il lui prend la main et la plaque sur son entrejambe : « Tu sens comme je te veux ?

— Laisse-moi partir. Je te promets que je ne dirai rien.

— Je t'aime. Je ne veux pas te faire de mal.

— Laisse-moi partir, s'il te plaît.

– Je peux te le montrer avec amour ou en te faisant mal. C'est toi qui choisis. Tu ne pourras pas dire que je ne t'aimais pas. »

Elle ne doit pas pleurer. Elle fait la liste des réalités. Il est plus fort qu'elle. Éric est loin. Ils sont seuls au monde. Il n'y a que la pluie et la montagne, et la lune comme une plaie infectée au-dessus d'eux. Il faut qu'elle reste froide, plus froide que ses mains et que ses lèvres, que le danger et la peur de mourir.

Il lui caresse la bouche avec deux doigts, l'index et le majeur.

« Suce. »

Le froid, encore, le goût sec de la douleur et de la mort. Il faut qu'elle soit encore plus froide si elle veut vivre. Elle obéit. Il ne faut pas qu'elle pense à Éric. Il ne faut pas qu'elle pleure.

Elle ne quitte pas Sylvain des yeux en suçant ses doigts. C'est comme une bête sauvage : ne jamais baisser le regard, ne jamais montrer de faiblesse. C'est lui qui doit reculer. Sa fièvre et sa peur sont prises dans un nœud qu'il ne sait pas défaire.

« Continue. Tu vois que ça te plaît. »

Il a plus peur qu'elle.

« Tourne-toi. »

Il la regarde, les yeux brillants et vides, et il dit que le viol a déjà eu lieu il y a des siècles. Eux, ils n'en sont qu'un écho lointain. Une onde minuscule de la première vague. Des insectes qui se cognent les membranes contre la grande illusion du temps. Ils n'ont pas le choix : ils doivent répéter le viol, la rencontre. Ils ne sont que des papillons noirs, déjà morts. Les mots n'ont aucun sens dans sa bouche. Il a perdu la tête. Il retire ses doigts et lui ordonne à nouveau de se tourner. Elle fait semblant de comprendre et se laisse basculer sur la banquette arrière, la tempe écrasée contre le polyester, la poigne de Sylvain sur sa nuque. Elle est plus forte que lui, plus froide que l'hiver, plus dure que la nuit. Il relève sa jupe sur le bas de son dos. Elle n'a pas peur. Elle est plus sèche que la mort qu'il fait entrer en elle. Elle ne doit pas pleurer, elle ne doit pas penser à Éric ni à la douleur. Si elle lui dit ce qui s'est passé, elle le perdra dans la vengeance et dans le sang. Les hommes portent la mort en eux. Elle doit garder son sang-froid, même quand ce sera fini. Elle est plus mortelle que le monstre qui lui déchire la chair, que la lune blessée, que le venin avec lequel il va la tuer. Elle a plus de poison que le souffle de l'animal dans son cou. Elle est dangereuse comme la montagne. Elle laisse la bête se purger et se transformer en petit garçon repu. Elle reste silencieuse pendant qu'il gémit. Elle a en elle plus de silence que les ténèbres de mille galaxies.

La gueule grande ouverte du monde

2006

Les détails.

S'il arrive à se concentrer assez longtemps sur un détail – la monture métallique des lunettes du lieutenant, le néon au plafond de son bureau, la cloche qui carillonne pour un mariage, quelque part dans Annecy –, Sylvain oublie qu'il a mal et qui il est.

« Lazar ? »

Le lieutenant Ferrand vient de Grenoble. Il n'a pas plus de trente ans. Marié et déjà père de deux garçons, dont il garde la photo dans la poche de son uniforme comme un talisman. Il fait chaque jour l'ouverture de la salle de sport et prie matin, midi et soir. Les églises de France sont vides et le cœur de cet homme est plein de Dieu. Il a été décoré à son retour d'Afghanistan. Sa droiture est aussi écœurante que le bleu de ses yeux.

« Je peux savoir pourquoi vous rempilez ? »

La première pierre, ce sont toujours les honnêtes gens qui la jettent.

« Je suis un soldat, mon lieutenant. Un chasseur.

– Et pas le plus mauvais, d'après votre dossier. C'est quand je vous observe que je me pose la question.

– J'ai mes raisons. Elles ne regardent pas l'armée.

– En montagne, en opex, tout regarde l'armée. Je veux savoir à qui je suis encordé. Je veux connaître l'homme qui me couvre. Pas vous ?

– J'ai montré qu'on pouvait compter sur moi.

– Ici, c'est indéniable. Les choses seront différentes sur un théâtre d'opérations.

– Je serai encore plus moi-même là-bas.

– L'idée de mourir en mission ne vous fait pas peur ?

– Pas plus que de mourir chez moi.

– Vous n'avez pas d'enfant.

– Quelle est votre question, mon lieutenant ?

– Si vous êtes tué au combat, la fortune de votre père n'aura pas d'héritier. Ça ne vous donne pas envie de rejoindre la vie civile ?

– Comme je vous l'ai dit : ma vie ne regarde pas l'armée. »*

Les frontières, il les connaît par cœur depuis l'enfance. Tout était dans un livre, *Géographie humaine et physique de l'Afrique-Occidentale française*, qu'il avait trouvé dans la bibliothèque du Bunker. Il y avait une dédicace de l'auteur sur la page de garde : « À Joseph Lazar, administrateur colonial, avec mon amical souvenir de Dakar et Saint-Louis. »

« Le bataillon, dit le lieutenant en faisant glisser la lumière rouge de son pointeur sur la carte, sera déployé dans un triangle entre Haere Lao, Kayes et Kiffa. Cette zone est à cheval sur trois pays : Mauritanie, Mali, Sénégal. Trois cent soixante-quinze kilomètres carrés. Des frontières comme du gruyère. Les forces locales sont des bras cassés. Les rebelles en profitent pour lancer des raids éclair et se replier sur le territoire voisin. L'état-major veut que ça cesse. Nous n'avons pas besoin que l'entrée du Sahel se transforme en Conforama du terrorisme. »

Ils n'y comprennent rien, les chasseurs. Pour eux, ces hectares de steppe pourraient se trouver au pied de la Muraille de Chine ou sur les bords de la mer Caspienne, ça ne ferait aucune différence. Le triangle du lieutenant est une zone de guerre comme les autres, avec ses règles et ses procédures. Ils ne voient pas la grandeur de l'empire colonial qui a succédé aux Empires wassoulou et kong. La solitude de ces hommes de la métropole partis à l'aventure, laissant leur vie derrière eux. Son grand-père en faisait partie. Son père est né là-bas. Est-ce qu'il serait devenu le Forestier s'il n'avait pas connu ça ? Les rêves de Sylvain lui disent la même chose depuis l'enfance : il faut être le maître du désert pour devenir celui de la montagne.

« Notre peloton sera stationné du côté mauritanien, au bord du lac Kaédi, à deux pas de la frontière sénégalaise. Nous avons carte blanche pour allumer les insurgés n'importe où à l'intérieur de la zone de déploiement. »

À la caserne, dans les salles du sous-sol, il n'y a pas d'horloge. On n'a aucune idée de l'heure, ni du temps qu'il fait. Il neigeait quand ils sont descendus pour le briefing. Dans quinze jours, ils seront partis – sa première opex.

« Profitez de vos familles, conclut le lieutenant. Six mois, c'est long. Là-bas, si vous n'êtes pas prêts, ce sera l'enfer. »

Dehors, le vent est tombé. Le drapeau tricolore et l'étendard du 27ᵉ bataillon, pendus au sommet de leur mât, ressemblent à deux fleurs fripées sur un bout de trottoir. Ce qu'il peut avoir mal à la tête. Il y a des jours où il n'a pas la force de se lever. L'hiver, le noir comme une tache d'huile qui avale tout, les heures ennemies, seul face à lui-même. La gueule grande ouverte du monde. Avant de s'engager, il n'en pouvait plus. L'armée n'a pas fait disparaître son cafard, la tristesse irréparable d'être né, mais elle l'empêche de s'y prélasser comme un fœtus qui aurait compris l'arnaque et refuserait de dévaler le grand toboggan pour atterrir dans ce merdier.

La cour est calme. Les lampadaires viennent de s'allumer. La plupart des hommes sont rentrés chez eux. Une fiancée ou un père est passé les chercher. On les a déposés à la gare. Certains auront pris la route ensemble, inquiets et heureux de se serrer les coudes, après avoir monté des chaînes sur leur voiture de location. Sylvain, lui, n'a personne à retrouver. Là-haut, à Maleterre, le silence et les trous de mémoire du Forestier l'attendent. Rien ne presse.

La porte du bâtiment A s'ouvre – le dortoir de sa section. Une grande carcasse apparaît, sac en bandoulière.

« Tu regardes pousser les arbres ? demande Éric.

– C'est une idée.

– Dangereuse en cette saison.

– On est tigre ou on ne l'est pas. »

Éric le dévisage, comme un chien de chasse qui a perdu la trace du gibier.

« J'ai appris pour ton père, dit-il. Je suis désolé.

– Je ne crois pas. Mais si tu es sincère, c'est inutile.

– Comment vous avez su qu'il était malade ?

– Ça a commencé par une crise parce qu'il ne se souvenait pas d'un numéro de compte. Puis il s'est mis à oublier ses rendez-vous. Un matin, sa secrétaire l'a trouvé au lit alors qu'il aurait dû être à Budapest. Il était couché là, comme un idiot, à regarder le plafond en attendant le déluge.

– Ça va vite.

– Il y a des jours, on a l'impression que son cerveau va tomber en poussière. Le lendemain, il est lui-même.

– Qui s'occupe de lui ? Et du domaine ?

– Calixte. Tu ne trouves pas ça ironique ? Et ce qui l'est encore plus, c'est que cette saloperie est héréditaire.

– Toi et moi on sera dans le coffre avant d'avoir perdu le fil. Tu le sais. C'est pour ça que tu t'es engagé. Et c'est pour ça qu'on part là-bas. Pour se faire tuer.

– Dans la même section, frangin ! Ne me dis pas que tu as peur.

– J'ai peur de laisser ma fille sans défense. Elle est toute petite. Si je meurs, qui la protégera des hommes comme toi ?

– Il y aura toujours un bon samaritain pour s'y coller.

– Tu veux que je te ramène ?

– Non, merci. Pas envie de rouler toute la nuit. Je vais rester encore un peu. Humer l'air de la défaite. »

En ville, la clientèle est la même dans tous les bars. Des banquiers, cravate sur l'épaule, à la sortie du bureau. Des grappes de fonctionnaires internationaux venus de Suisse ou de Lyon. La belle vermine fin de race que le croisement de ces cliques a engendrée. Chaque fois que Sylvain entre quelque part, c'est comme si la mort elle-même poussait la porte. On se tait. On tousse. On n'ose pas terminer son verre – la stupeur face à l'uniforme, l'idée qu'on est en guerre loin de cette fête et de cette bonne humeur sans fin.

« Qu'est-ce que vous buvez ? C'est pour moi. »

Le type a une barbe de trois jours, une chemise bleu ciel dont les manches retroussées laissent voir des bras habitués à soulever de la fonte, pas à se battre. Il affiche l'ignorance bien mise du jeune diplômé – une école de commerce ou d'ingénieur.

« Une bière ? Ou quelque chose de fort. C'est un grand honneur. »

Il lui tend la main, et la pression de cette main sur la sienne lui donne envie de vomir, comme cette sale petite gueule de fils à papa, ses chaussures à bout pointu, ses intonations de citadin. Sa montre, son téléphone qui n'arrête pas de vibrer et de clignoter. La brune qui l'accompagne ne sait pas où se mettre. Elle a la même façon qu'Audrey de cacher ses seins en rentrant les épaules.

« Une bouteille de vodka, dit Sylvain en la regardant. J'ai soif. »

Le fils à papa rougit : « Vous ne voulez pas y aller plus doucement ? Je ne suis pas sûr de tenir la distance.

— Tu veux me vexer ?

— Bien sûr que non. Avec plaisir. »

La bouteille arrive. Cent cinquante euros, rubis sur l'ongle, que le barman encaisse en liquide.

« À votre santé », dit le fils à papa en levant son verre. La fille se contente de tremper ses lèvres, pour la forme.

« Tu n'avales jamais ? » demande Sylvain.

Le fils à papa feint de n'avoir pas entendu :

« J'ai lu que vous partez bientôt en mission. L'Afrique ?

— Les sauvages.

— Pardon ? demande la fille.

— C'est une expression, reprend son petit copain.

— Là d'où on n'aurait jamais dû partir. Ils n'en seraient pas là, et nous non plus. Vous voulez qu'on se penche sur lequel de ces zoos ?

— C'est bon, on s'en va », dit la fille.

Sylvain fait déborder leurs verres en les resserrant.

« Bois.

– On s'en va, répète la fille. Il y a de la peur dans sa voix. C'est excitant.

– Bois, dit Sylvain.

– Il faut que je m'arrête, répond le fils à papa en sortant ses clés de voiture. On m'a déjà retiré trois points.

– Allez ! Je vous laisse la bouteille. Prenez soin de vous, là-bas. »

Sylvain lui attrape le bras, juste au-dessus de la montre, puis les doigts, avec son autre main. C'est une des clés que Calixte lui a apprises. Le point faible est toujours dans l'articulation. Il commence à tordre le poignet du type en faisant basculer son poids vers le comptoir. Le fils à papa couine comme les grenouilles que Sylvain disséquait vivantes, l'été de ses dix-sept ans, au bord de la Tinée. Il était sorti de l'hôpital quelques semaines auparavant, avec une tête de monstre. Il n'avait plus de visage. C'est son frère qui lui avait fait ça. Sylvain voulait voir si ces bestioles, laides comme elles étaient, pouvaient avoir aussi mal que lui. Il lui fallait comprendre, de l'intérieur.

« Si je chope ta copine par-derrière, tu vas couiner plus fort ? »

La fille s'est mise à crier, elle a les joues écarlates. Sylvain lui sourit. L'articulation du type est prête à se disloquer. Sylvain appuie encore, frappé par une soudaine tristesse à l'idée que ce soit bientôt fini. Liberté, égalité, fraternité. Il éclate de rire. La fille ressemble à Audrey. Ce qu'il pourrait lui mettre. C'était quand, la dernière fois qu'il a baisé ? Audrey aurait dû être à lui. Ils auraient régné sur Maleterre. Il ne lui aurait rien refusé. Il y a si longtemps qu'il n'a pas eu la douceur d'une femme contre lui. Il l'aurait aimée comme une reine. Il appuie, il n'a pas le choix. Ils l'ont forcé à devenir ce qu'il est. Il l'aime encore. Il est chasseur

125

par amour pour elle. Personne ne peut lui prendre cet amour empoisonné avec lequel il détruira tout.

La douleur dans son cou lui coupe la respiration. Sylvain ne peut pas ouvrir les yeux – pas encore. Quelqu'un va et vient dans la pièce sans s'occuper de lui, des pas légers et rapides. Une porte claque dans les étages. Il faut se détendre, se concentrer sur ce qui ne fait pas mal. Le bruit de verres qu'on sort du lave-vaisselle. L'odeur de chlore et le sol froid – il est allongé par terre, sur le ventre. Il se rappelle le bar, le poignet de ce type qui ne voulait pas casser, la bouche de sa copine qui se tordait. Il n'entendait pas les cris ; il les ressentait comme un courant électrique dans sa tête. Combien de temps a pu s'écouler ? Deux hommes parlent à voix basse dans un coin de la pièce. La fête est finie. Il n'a rien vu venir.

Des pas plus lourds s'approchent. La façon de marcher de Calixte, on ne peut la confondre avec nulle autre. Il commence à lui faire la morale : « Tu as besoin d'aide. J'ai passé l'âge d'être ton ange gardien. »

Sylvain ouvre les yeux. L'autre homme glisse une enveloppe à l'intérieur de sa veste. Il fait un clin d'œil à la serveuse et sort.

« Tu peux te lever ? demande Calixte.

– Je récupère.

– Il faut qu'on s'en aille. Nos amis de la gendarmerie aimeraient que tu te tiennes à carreau jusqu'à ton départ.

– Je n'ai aucun souvenir de ce qui m'est arrivé.

– Tu veux quelle version ?

– Celle où tu me donnes le nom du fils de pute qui m'a fait ça. »

Sylvain s'assoit. Les manches de sa veste d'uniforme sont humides et puent la bière. Calixte lui dépoussière les épaules, rajuste son col. La serveuse range les tables sans leur prêter attention.

« C'est toi.

– Quoi ?

– C'est toi, il n'y a personne d'autre. Tu as fait une syncope. Une crise d'épilepsie, je ne sais pas. Il faudra consulter. Tu vois des ennemis partout.

– J'ai reçu un coup du lapin. Tu sais qui me l'a donné. Dis-moi le nom de cet enculé et conduis-moi chez lui.

– Je suis fatigué. J'ai fait quatre cents bornes pour venir te chercher. Je m'en vais maintenant, avec ou sans toi.

– N'attends pas. Rentre chez ton maître. Tu ne l'entends pas siffler ? Cherche ! Cherche, Calixte ! Bon chien. Avec un peu de chance, on accrochera la curatelle du vieux à ton collier. »

Ses yeux restent ouverts, c'est toujours ça de pris. La douleur est logée dans ses muscles mais sans se transformer en migraine. Le visage de Calixte n'a pas changé – cet air déçu d'instituteur face à la mauvaise graine qu'il essaie en vain de tirer de sa crasse.

« Tu t'es mis tout seul dans la casserole.

– Quelle casserole ?

– Celle de la grenouille.

– Mon pauvre Calixte.

– Au début, l'eau est froide. La grenouille se sent chez elle. Elle ne s'aperçoit pas que l'eau chauffe. La tienne ne va pas tarder à bouillir. Continue comme ça et tu seras mort sans avoir rien compris à l'histoire. »

La fille compte la recette de la soirée derrière le bar. Son visage est éclairé par la lumière bleue d'un écran. Le frottement des billets a quelque chose de réconfortant. *Frip-Frip-Frip. Frip-Frip-Frip.* C'est peut-être son indifférence, ou le fait qu'elle sera là, demain, à répéter les mêmes gestes. Absorbée, absente. À quoi peut-elle penser ? Le mystère de ses sentiments est la chose la plus douce, la plus stable de l'univers. Elle fait défiler les billets, on n'en saura pas plus. Sylvain pourrait jeter dans cet engourdissement ses haines, ses guerres, la grande bagarre avec la Terre entière.

Tous les enfants se ressemblent. Un cri. Une façon de courir, de pleurer et de sourire. On dirait qu'ils savent quelque chose que leurs parents ont oublié. Mais si on leur demande, ils ne trouvent pas les mots. Peut-être qu'ils ont un autre langage. Sylvain, lui, ne sait pas comment on parle aux enfants.

Au fond de la salle des fêtes, au-dessus des piles de chaises en plastique, il y a une banderole avec le nom des trois chasseurs en partance, celui d'Éric au milieu.

Sylvain, s'il avait été parent d'élève, aurait eu son prénom là-haut lui aussi. S'il était parent. C'est une question de paperasse, de dépenses, de temps perdu. Les signes extérieurs de la paternité sont plus légitimes que la biologie. Qui en a décidé ainsi ? Sylvain tourne les talons et se dirige vers le buffet. Deux garçons d'une dizaine d'années s'amusent à faire éclater des ballons. Parmi la cinquantaine d'hommes qui rigolent, gobelet en carton à la main, il est le seul à ne pas avoir d'enfant. Qu'est-ce que ça fait de lui, dans le regard des autres ? De leurs femmes ? Le pervers du coin. L'homme qui n'a aucune raison d'être ici, avec les bonnes gens d'Auron et d'Isola. Le fils du Forestier, l'enfant gâté, à qui tout est permis parce que Papa est le seigneur de la montagne. S'il avait une fille, lui aussi.

Les lumières s'éteignent. Le brouhaha des conversations disparaît dans le roulement de caisse claire et le solo de saxophone d'un slow des années 1980. Des couples se forment. Un des trois héros du jour danse avec une fille qui travaille à la station. Coiffeuse ? Conseillère clientèle à la banque ? C'est ça : il l'a rencontrée à l'époque où il cherchait un placement pour l'argent de ses premiers salaires, il ne dépensait pas un sou. Elle a l'air triste et serre fort son cavalier. Éric et Audrey doivent être là, eux aussi, quelque part dans l'obscurité. Il y a trop de monde sur la piste. Les enceintes installées sur le rebord des fenêtres tremblent à chaque note de basse. Sylvain bâille. La sangria se laisse boire. Il en reprend un verre. La pluie fait un bruit de tison sur le toit en tôle.

Il y a une fillette assise sur une glacière, les jambes croisées par l'ennui. Elle a une petite bouche, le visage rond, deux nattes.

« Tu ne danses pas ? »

Elle le regarde sans répondre. Il y a quelque chose de fixe dans ses yeux, d'abîmé, comme si elle avait déjà beaucoup perdu. Les spots accrochés aux poutres font tourner des étoiles sur son visage.

Il se remplit un autre verre : « Je connais les paroles de cette chanson par cœur. Tu veux que je te les chante ? Je ne sais pas chanter, mais je parle un peu anglais. »

Un timide sourire se dessine sur les lèvres de la gamine. Elle regarde toujours droit devant elle.

« Je chante, alors ? »

Elle balance les jambes d'avant en arrière. Il n'obtiendra pas de oui plus explicite. Elle le laisse entrer dans son monde, le temps de faire ses preuves.

Il se racle la gorge et se met à chanter le refrain, à la traîne derrière la musique. Le sourire de la petite s'élargit et lui éclaire les yeux. Il laisse sa voix dérailler, s'attarde sur les fausses notes. Elle éclate de rire et bat des mains. La chanson se termine, trop tôt. Le DJ enchaîne par une horreur bien de chez nous.

« Encore ? dit la petite.

– Ah, non. Je déteste la variété française.

– S'il te plaît ! »

On ne l'a jamais regardé comme ça : elle attend quelque chose de lui. Il rit à son tour, réchauffé par la joie qui se lève dans sa poitrine. Il avait tout compris de travers. Les enfants ne sont pas là comme des petites choses qui ont besoin d'être protégées ; ils protègent les adultes d'eux-mêmes, repoussant leur nature dans une zone lointaine, là où il devient possible de l'oublier.

« OK, OK. C'est bien parce que c'est toi.

– Clémence ? Qu'est-ce qui se passe ? »

Audrey s'approche et prend la petite dans les bras. Ses sourcils froncés la vieillissent. Sa peur et la répulsion dans sa voix, comme si l'homme à côté de sa fille était une bête.

Éric les a rejoints. La petite se débat dans les bras de sa mère.

« Encore ! »

Sylvain bredouille des excuses : « Je ne savais pas.

– La chanson !

– Elle veut que je chante. J'ai chanté et ça l'a fait rire.

– Va-t'en ! » dit Audrey.

La petite se tord dans tous les sens. Audrey ne le quitte pas des yeux et hurle : « Tu vois ce que tu fais ? Mais fous le camp ! Qu'est-ce que tu attends ? »

Éric a placé une main sur l'épaule d'Audrey pour la calmer. La musique s'arrête. Sylvain les regarde. Des dizaines d'yeux sont posés sur lui, comme des moustiques sur une vieille rosse trempée. Tous les innocents de la montagne, sûrs de mener leur vie comme il faut, de valoir mieux que lui. À quoi bon se donner le mal d'être humain, quand l'homme est le plus dégueulasse de tous les animaux ?

Les insultes d'Audrey roulent encore dans sa tête quand il arrive au Bunker.

« Je t'attendais, dit le Forestier. Assieds-toi. »

Il y a des papiers devant lui, à côté de son livre de comptes.

« Comment vas-tu, aujourd'hui ?

– Ça se précise, dit le vieil homme. J'ai décidé de mettre mes affaires en ordre. Tout sera prêt et à l'abri quand l'ouragan va me tomber dessus.

– Le docteur a dit que tu avais du temps devant toi.

– Je n'ai aucune confiance dans ce crétin qui ne pense qu'à me fourguer ses médicaments.

– Tu as arrêté le traitement ?

– Je ne l'ai pas commencé.

– C'est stupide. Tu pourrais vivre encore plusieurs années avec toute ta tête. »

Quand Sylvain, enfant, ne comprenait pas une étrangeté de la montagne, son père le regardait avec ce même air désolé.

« Lis ça », dit-il en poussant le papier devant lui. C'est son testament – revu et corrigé, daté d'aujourd'hui.

« J'ai fait certains changements. Je ne voulais pas être pris au dépourvu.

– Par quoi ?

– Tu n'as pas de famille. Si tu avais des enfants, dit-il en se levant, les choses seraient différentes. Je ne sais pas quelles dispositions tu as prises de ton côté. »

Le Forestier lui tourne le dos, debout face à la nuit qui étouffe la montagne, dérisoire sentinelle.

« Regarde-moi et dis-moi ce qu'il y a sur ce morceau de papier, exige Sylvain.

– Mes paroles n'ont pas plus de valeur que celles d'un autre. Il faut que tu lises.

– Dis-le-moi en face, comme un homme ! »

Sylvain se mord les lèvres de douleur. La plume du stylo a pénétré sa paume, à la base du pouce. Son sang se répand sur le papier et le bureau – le bois sombre de Maleterre.

« Depuis que tu es né, dit le Forestier en se retournant, je sais que tu as un défaut de fabrication. Il te manque quelque chose. J'ai été lâche et aveugle de ne pas te le dire. »

À la deuxième page du document, en petits caractères, il est écrit qu'Éric héritera de la station au décès de leur père. Pour Sylvain, la scierie. Si Éric meurt le premier, la part qui lui est réservée ira à sa fille, sous la tutelle d'Audrey jusqu'à sa majorité. Les mêmes termes s'appliquent en cas de mort de Sylvain. Tout pour Clémence, quoi qu'il arrive. C'est ce que Sylvain voulait. Mais le Forestier, qui voit tout, lui a volé son salut.

« Vous partez à la guerre. Il peut arriver n'importe quoi.

– Tu ne sais même pas à quoi ressemble cette gamine.

– Une gamine que je ne connais pas, c'est mieux que pas d'enfant du tout. »

Le vieil homme reprend sa place derrière le bureau.

« Tu ne seras pas lésé. Tu auras la moitié de Maleterre, y compris le Bunker. Éric aura l'autre moitié. J'aurais dû partager entre vous depuis le début. Tout est de ma faute.

– Tu es vieux et malade. Tu as peur de l'enfer.

– C'est vrai. Mais rien ne m'obligeait à te montrer ce papier. Tu l'aurais découvert à ma mort, par la bouche de quelqu'un d'autre. Ce n'est pas ce que je voulais.

– Il faut que je te remercie ?

– Tu as le droit de me détester. Je ne te demande pas de me comprendre. Mais est-ce que je peux compter sur toi ? »

Sylvain sourit :

« Au-delà de tes espérances. »

Il désinfecte la plaie et y pose un bandage stérile. Impossible de se recoudre d'une seule main. Il se regarde dans le miroir, longtemps, comme on scrute l'horizon avant de sortir en montagne. Il ne voit pas d'orages au loin : rien que l'immensité du ciel, vide et froide.

Quand il revient dans sa chambre, sa mère l'attend près de la fenêtre.

« Sylvain, dit-elle, n'allume pas la lumière.

– Pourquoi est-ce que tu restes dans le noir ? Je veux te voir et te serrer dans mes bras. Il y a si longtemps que tu es partie. »

Elle le prie de ne pas approcher, puis lève une main à hauteur du visage. L'air de la pièce est solide comme de la glace. Il veut la toucher, lui parler, mais il ne peut plus bouger. Aucun son ne sort de sa bouche.

« Tu n'aurais pas dû naître, dit-elle. Tout le mal vient de là. Je t'ai porté comme une pierre que j'aurais dû jeter à la rivière. Je n'ai pas pu. »

C'est elle qui s'approche, le visage toujours dans l'ombre. Il veut lui dire qu'il l'aime et qu'elle n'a pas à avoir honte.

« Ton père a fait des choses terribles. Je ne t'ai pas assez protégé. Mon pauvre petit, tout ce qui t'arrive est de ma faute. Est-ce que tu pourras me pardonner un jour ? Je te jure que je suis plus forte aujourd'hui. Regarde. »

Elle continue à marcher vers lui en cachant quelque chose derrière son dos. Il faudrait reculer, mais c'est impossible, elle l'a transformé en statue.

« Regarde comme je t'aime, mon enfant. Je t'ai fabriqué un habit que tu n'auras jamais à enlever. »

L'aiguille à tricoter dans sa main est longue et brillante. Il crie quand elle la lui enfonce à la base du pouce. La douleur cogne dans sa tête. Il ne comprend pas pourquoi son sang ne coule pas. C'est la silhouette de sa mère qui devient rouge avant de disparaître.

Quand il ouvre les yeux, elle veille à son chevet. Non : c'est sa présence, et quelqu'un d'autre est là. Il grelotte. Le jour s'est levé derrière les fenêtres, dont le contour est embrumé par la condensation. Le joint, sans doute. Il devra se souvenir de remplacer le joint.

« Tu as eu beaucoup de fièvre. Il faut te reposer. Ne t'inquiète pas, je reste à tes côtés. »

C'est la voix d'Audrey. Son visage est aussi flou que la vitre de la fenêtre. Elle pose une main glacée sur son front. Un terrible courant d'air circule dans la chambre, des rafales descendues de la tête du Pignals. Comment est-ce possible ? Même avec un joint abîmé, le froid ne devrait pas s'engouffrer à l'intérieur et s'accrocher à ses os comme une nouvelle peau, plus solide et plus sèche.

« Tu m'as fait beaucoup de mal. Tu t'en souviens ? »

Il a beau former les mots dans sa tête, les découper en syllabes, entendre le son que ces syllabes est censé produire, ses cordes vocales restent aussi muettes que la neige.

« Tu as voulu me détruire. Tu ignorais que j'étais plus forte que toi. Tu le sais, maintenant. Regarde : je ne t'en veux pas, malgré le mal que tu m'as fait. Tu es malade et je m'occupe de toi. La blessure à ta main est vilaine. Je vais te soigner. Et toi, qu'est-ce que tu vas faire, maintenant que tu as compris ? »

Elle lui caresse les cheveux en fredonnant la mélodie qu'il a chantée à Clémence à la salle des fêtes. C'est peut-être la fièvre, ou cette douceur : il voit la petite fille danser dans les bras d'Éric, au milieu de la piste déserte. Une jalousie aussi pointue que l'aiguille de sa mère lui cloue le cœur. Audrey appuie une main gelée sur sa peau.

« Tu es en train de rêver. La fièvre te joue des tours. Mais il y a une chose qu'elle ne peut pas te faire oublier : tu n'es pas son père. Regarde-la bien. Vois comme elle est heureuse. Tu n'es pas son père. Tu m'as fait saigner. Tu as plongé ton sang dans le mien. Mais tu n'es pas son père. »

Éric et la petite dansent, là-bas, derrière le givre de la fenêtre. Le rire de Clémence dévale le flanc de la montagne à la vitesse d'une avalanche. Elle est heureuse. Elle n'est pas sa fille. Il est seul au monde et a envie de pleurer, mais ses yeux sont aussi secs et froids que le vent du Pignals.

À son réveil, un soleil blanc saigne sur la montagne.

Ulysse est ton nom

2016

Je dansais avec toi dans la salle des fêtes, je me racontais que tu prendrais le bateau, ça n'avait rien d'idiot, il faut traverser la mer pour aller en Afrique, on avait arrêté la musique et éteint les lumières depuis longtemps, tout le monde était parti, je dansais la tête posée dans le creux de ton épaule, je reniflais ton odeur et la laine de ton pull me donnait envie de dormir,

Je pars demain, petite, ils viennent me chercher à l'heure des poules, tu dormiras encore je viendrai t'embrasser ne te réveille pas je serai vite rentré

Je les maudissais, ces inconnus qui me prenaient mon père, je leur jetais des sorts, ils n'avaient pas d'enfant, sans quoi ils auraient compris, je reniflais ton pull mais je ne pouvais plus respirer, l'armée de terre me tenait la tête sous l'eau, six mois sans mon père, je coulais au fond de la mer et je regardais la coque brillante du bateau qui t'emportait loin de moi, je jurais la mort des chasseurs alpins, j'avais tant d'amour et de haine au fond de moi,

Le soir, tu me verras en fermant les yeux, tu me raconteras l'école, le ski et tout le reste, tu sauras faire le pas de canard et l'escalier quand je reviendrai,

Maman sera fière, elle m'écrira pour me raconter tes progrès, six mois c'est rien du tout petite, il y a six mois c'était hier, je reviendrai quand la neige aura fondu, il ne restera que le glacier pour refléter le soleil, ne le regarde pas, tu lèveras la tête et je serai là, sous l'érable du jardin,

Je luttais contre le sommeil, si je restais éveillée tu ne pourrais pas partir, je me laissais bercer par tes pas, tu m'abandonnais pour les dunes, les arbres, un fleuve qui ne ressemblait à rien, l'Afrique c'était toi, il n'arrive jamais rien aux continents, pas à l'échelle de la vie humaine, il faut des millions et des millions d'années, j'ai appris ça depuis, les plaques bougent et parfois les hommes tombent dans une faille, tu étais fort et solide mais tu es tombé, combien d'hommes t'attendaient sous le continent, couchés depuis la nuit des temps au fond de la crevasse,

Regarde ce point, petite, c'est là que je vais avoir ma maison, tu vois cette ligne qui remonte jusqu'à l'océan, le long du fleuve, c'est la frontière du désert, elle me rappellera ma petite fille qui vit sur la frontière de la montagne, tu marcheras avec moi et je marcherai avec toi,

Après ton départ, Maman m'a montré la carte tous les soirs, je n'y voyais que ton absence, l'impossibilité de me blottir dans tes bras, la peur qu'il t'arrive quelque chose, Maman disait encore un jour de moins, ma puce, ne pleure pas, mais les cartes donnent d'excellentes raisons de pleurer, de s'enfoncer les ongles dans la peau pour faire taire la peur, je regardais la carte et je voyais toutes ces frontières entre nous, chaque mètre qui me séparait de toi en était une, le monde est sillonné de frontières invisibles contre lesquelles le cœur se cogne, qu'est-ce que je pouvais y faire, rien, on n'y peut rien, ma puce, c'est la vie qui est comme ça, la vie et les hommes, je ne suis jamais revenue de ces lignes à ne pas traverser, les hommes tracent des figures infranchissables pour ne pas revenir, la guerre est leur horizon à tous, la frontière des frontières, dans la mort il n'y a plus ces millions de plis qui font qu'on ne se comprend pas,

C'est la guerre et ce n'est pas la guerre, regarde-moi, est-ce que je t'ai déjà menti, si tu m'attends je reviendrai,

Je t'ai attendu dix ans, tu crois peut-être qu'Ulysse est ton nom, que tu avais le droit de nous oublier, de rester au fond de ta crevasse en compagnie de tous les aventuriers incapables de se tenir debout, vos belles promesses brisées en mille morceaux à vos pieds, mais qu'est-ce que tu t'imaginais, ton visage est devenu flou, tes yeux et ton odeur, le son de ta voix, ta façon de marcher, tous mes souvenirs ont commencé à s'effacer, de la buée sur une fenêtre, je regardais les endroits de la maison où je me souvenais de toi et je ne te voyais plus, je voyais à travers toi, la maison ne bougeait pas et murmurait que tu n'étais pas là, j'ai fini par me dire que tu n'existais pas, c'est moi qui t'avais inventé, il ne me restait de toi que des riens retrouvés sous un placard, entre deux coussins du canapé,

On marche beaucoup, la nuit pendant les patrouilles il m'arrive de m'endormir en marchant, il fait si froid quand le soleil se couche, je marche et vous êtes là, toutes les deux, dans le froid de chez nous, je suis heureux,

Maman me lisait tes lettres, elles arrivaient par paquets de cinq ou six, frappées du tampon de l'armée, qu'est-ce que tu crois, je ne t'ai pas attendu, moi aussi je sais mentir, j'ai eu dix ans, un matin de février, je suis partie dans la montagne, j'en avais marre d'attendre alors que tout le monde m'expliquait que tu étais mort, que tu ne reviendrais plus, Maman s'arrachait les cheveux, il faut qu'on avance, ma puce, on ne peut pas continuer comme ça, à l'école on me prenait pour une folle, personne ne me le disait en face mais je le voyais bien, je leur faisais pitié et peur, on m'évitait, je parlais toute seule entre les arbres de la cour de récré, j'écoutais les arbres se parler, le vent dans les feuilles et le pouls de la sève, je suis partie dans la montagne parce que c'était chez toi, j'ai faussé compagnie aux autres pendant une sortie scolaire, le ciel était bleu foncé comme le foulard que tu nous avais envoyé quelques semaines après ton arrivée, j'ai levé la tête et ça m'a frappée, tes lettres portaient le tampon bleu de l'armée, le tigre, le cor de chasse, le 27, mon papa est un tigre des neiges, je me suis dit que tu me faisais signe, j'ai déchaussé et j'ai planté mes skis à côté d'un sapin, sur le flanc du Pélevos, j'ai gardé un bâton pour m'aider à marcher et je suis montée vers la grotte du Cerf, je voulais demander aux dieux de la forêt de m'emmener dans la crevasse où tu étais tombé,

Le cerf n'est pas un cerf, dans les bêtes de la forêt il y a les animaux et les dieux, ne t'y trompe pas, les animaux chassent ou s'enfuient, ils nous parlent, ils nous observent, les hommes croient que toutes les bêtes sont des animaux, en oubliant les dieux ils oublient qu'ils sont hommes et se transforment en bêtes,

Je grimpais comme tu m'avais appris, tu marchais avec moi sur la frontière de la montagne, mon père n'est pas un menteur, il m'a dit qu'il reviendrait, j'allais là-haut pour t'aider à remettre le monde à l'endroit, s'il ne revient pas c'est qu'il est coincé quelque part, je n'ai jamais cru que tu étais parti, comme ils disaient d'un air attristé, même Maman avait fini par y croire, je suis désolée, il faut l'accepter, je montais sur la montagne parce que je n'acceptais rien du tout, un père c'est quoi, c'est celui qui traverse les frontières entre les mondes pour une promesse à tenir, celui qui se relève, qui ne se laisse pas mourir au fond d'un trou, dans l'ombre moisie du donjon, peut-être que tu avais besoin d'entendre ma voix, que je te rappelle et te guide, il fallait que je t'aide, j'allais là-haut et ces pensées faisaient brûler mes jambes, j'avais l'impression de voler, j'allais chercher mon père le long de la frontière entre la vie et la mort,

Ne va pas là-haut toute seule petite, pas avant de savoir, je t'apprendrai la seule façon de marcher, les bois et les chemins, les murs et les combes, les pentes amies et celles qui tuent, la montagne sera ta maison,

Je n'ai pas eu la patience, je t'ai désobéi et j'y suis allée seule, est-ce qu'il faut obéir à ceux qui ne reviennent pas, est-ce qu'on est tenu aux promesses qu'on a faites à des menteurs, je suis montée entre les arbres, dans la forêt immobile, j'écoutais le silence de la montagne, elle ne me parlait pas alors je lui ai parlé, j'ai dit je viens chercher mon père, je m'enfonçais dans la neige jusqu'au milieu des cuisses, la montagne était immense et muette, j'ai dit si tu es ma maison et mon pays montre-moi le chemin, mon père te connaît bien, je cherche la grotte du Cerf, j'avais bien serré mes bottes et ma combinaison mais la neige trouve toujours un chemin, je marchais et je ne voyais ni dieux ni animaux, j'ai commencé à avoir froid,

Tu ne dois jamais laisser entrer le froid, si tu le sens sur tes pieds ou sur tes mains, tu redescends, petite, ça veut dire que tu as une heure, peut-être deux, la montagne ne pardonne pas, les bêtes le savent, elles, on ne les retrouve pas gelées derrière un rocher ou au pied d'un arbre, il faut apprendre à sentir comme

elles, à bouger comme elles, ne te fie pas à tes chaus-
sures ni à tes habits, le chamois n'en a pas, il connaît
la marque du vent, si tu as froid il faut que tu bouges
plus vite que la montagne, le vent et la neige trouvent
toujours un chemin,

Mes jambes étaient lourdes, la peur est entrée en moi
comme par une fenêtre ouverte, non, pas la peur d'être
perdue, la peur de ne pas retrouver mon père, il m'avait
prévenue, j'avais froid et peur de l'avoir déçu, j'aurais
dû rebrousser chemin, la neige en fondant mouillait
mes chaussettes et gelait mes pieds, mes doigts étaient
glacés sous mes gants, la peau de mon visage fumait
au contact de l'air, je n'arrivais plus à penser, je n'étais
pas une bête avec son instinct de survie, la montagne
n'avait rien à me dire, les arbres de la forêt stupides
comme des pierres, je marchais dans un cimetière sans
savoir que je cherchais ma tombe, je ne savais rien, je
me sentais minuscule, loin de chez moi, et la nuit qui
finirait par venir, et la neige qui effaçait mes traces, et
la peur et le froid, un cri a déchiré le drap blanc de la
montagne, la forêt entière a frémi, les arbres, la neige,
les pierres, un grand corps qui tremblait, un cri tombé
du ciel, un aigle royal tournait au-dessus des sapins,
c'était peut-être un dieu qui me montrait le chemin, je
t'avais entendu dire à Maman

Là où je vais les oiseaux ne volent pas, ça va me
manquer, le matin, le cadeau qu'ils nous font sans le
savoir, ou alors ils le savent, parfois je me dis qu'ils
parlent de nous, imagine un peu, ils n'ignorent rien de
nos vies, c'est ça qui me fait peur dans leur silence, si
les oiseaux se taisent peut-être que nous sommes morts,

Tu avais peur, jamais je ne t'avais entendu prononcer
ce mot, tu étais un tigre des neiges, comment pouvais-tu
connaître la peur, cette syllabe qui me bouchait la gorge

coulait de mes narines et se déversait dans mon sang, je ne sentais plus mes pieds et je n'étais plus que cette peur, l'aigle a fini par disparaître, le ciel était vide, dur comme de l'acier, j'ai pleuré des larmes qui gelaient sur ma joue, j'ai couru, j'entendais ta voix me dire de bouger, plus vite, petite, plus vite, ne laisse pas le froid remonter dans tes veines, je suis tombée, je me relevais, le ciel s'écrasait sur mes poumons et ne me laissait pas respirer, je suis tombée encore, mes jambes ne répondaient plus, la peur et le froid s'enfonçaient sous ma peau comme des aiguilles empoisonnées, les sapins étaient un manteau qui tombait sur moi pour m'étouffer, c'est là que j'ai vu le Cerf, à l'entrée de la grotte, je ne sentais plus mes doigts, mes sourcils avaient commencé à geler, j'ai vu le Cerf qui me regardait, plus immobile que la forêt, on aurait dit que la forêt tournait autour de lui,

Je reviens, petite, sans toi je ne peux pas revenir,

Le Cerf a disparu, j'ai entendu des pas dans la neige, l'écho de mon nom sur la montagne, j'étais si heureuse de t'avoir trouvé, c'est toi qui venais me chercher, tes pas me berçaient et j'avais sommeil, juste avant de m'endormir j'ai senti tes mains qui me soulevaient, tu n'avais plus la même odeur, tu m'as prise dans tes bras, tu n'avais plus les mêmes épaules, la même chaleur, mes yeux étaient gelés, tu n'avais plus le même visage, mes oreilles étaient gelées, tu n'avais plus la même voix, la même façon de dire mon nom, juste avant de m'endormir c'est moi qui t'ai dit,

Papa, tu es revenu, pourquoi tu as les yeux gris ?

L'homme aux yeux gris

2010

Calixte examine la paire de skis et le bâton plantés dans la neige. Les gars du PGHM perdent leur temps au Pignals et à la Valette. Braves types, pisteurs de métier pour certains. Mais ils font fausse route. La gamine ne s'est pas perdue du côté de Maleterre. Elle cherche un endroit qu'elle connaît : ça ne peut pas être sur le domaine. Éric ne l'aurait jamais emmenée là-haut, chez le Forestier.

D'ici une heure ou deux, la neige aura recouvert ses traces. Demain, après-demain, un skieur apercevra un bout d'anorak pendant une séance de hors-piste. On redescendra le corps sur un brancard orange. Le photographe de *Nice-Matin*, tuyauté, attendra au bon endroit et doublera ses copains des agences de presse. On donnera le nom de la gamine à une rue d'Isola, à son école. Quelqu'un écrira : « Fait divers en haute montagne. » Tragédie, peut-être. Puis on oubliera.

Les nuages étouffent la tête du Pélevos – impossible de savoir où est le soleil. Le vent miaule dans les sapins. À quoi bon ? Calixte remet les gaz et fonce plein sud, là où la pente est la plus forte. Ainsi vivent les gens de la montagne : ils croient toujours qu'il reste quelque chose à sauver, les fous.

La mère a débarqué au Bunker en criant. Elle voulait parler à Sylvain. Elle respirait fort et tournait en rond dans le vestibule, comme si elle avait perdu la raison.

« Il est à Helsinki.

– Quoi ? »

Ces paroles n'avaient aucun sens pour elle. Quelque chose de grave était arrivé.

« En Finlande, a précisé Calixte, pour la scierie. Il rentre à la fin de la semaine.

– Ma fille s'est perdue en montagne.

– Quand ?

– Ce midi. L'école vient de me prévenir. »

Calixte a fait le calcul. Naissance en 2000. Dix ans. Son père avait eu le temps de lui apprendre un peu la montagne, mais de quoi pouvait-elle se souvenir ? Elle était si petite avant le départ d'Éric à la guerre.

« Décrivez-moi ses habits. Les couleurs, l'épaisseur. »

La gamine était bien équipée. Si la température ne descendait pas trop, si elle ne s'asseyait pas dans un coin, abattue par la fatigue et le découragement, elle pouvait tenir jusqu'à la tombée de la nuit. Après, le froid ferait son travail.

« Les gendarmes sont en route.

– Ils vous ont dit où ils allaient chercher ?

– À côté d'ici. Au Pignals et à la Valette. La classe se dirigeait vers le glacier quand elle a disparu. Ils allaient observer les chamois. »

Il a enfilé son blouson. Impossible de mettre la main sur ses jumelles. Sous l'auvent, alors qu'il enfourchait la motoneige, la mère lui a demandé pourquoi il ne prenait pas l'hélico. Elle était belle et triste.

« Rien ne décolle, avec ce vent. Il faut que j'y aille. »

Il a mis les gaz sans entendre ses derniers mots. Elle est restée clouée dans la neige, les bras le long du corps – cible trop facile pour le malheur. Il avait oublié de lui demander le prénom de sa fille.

Un cri l'a rattrapé : « ...ence ! »

Florence ? La neige giclait des deux côtés de la machine et le vent sifflait sur son masque. Il est entré dans la forêt à toute vitesse. Les vibrations de l'engin envoyaient des spasmes dans le bas de son dos. Son nerf sciatique le torturait. Pourquoi Éric aurait-il donné à sa fille le nom de la mère de Sylvain ? C'était une question sans intérêt. Il fallait se concentrer sur les branches tombées et sur les rochers camouflés par la neige. La montagne ne pardonne pas à ceux qui pensent à autre chose ; et lui, il ne pardonnerait pas à la montagne si elle prenait cette gamine.

L'odeur d'essence se propage entre les sapins, on dirait qu'elle sort de l'écorce, comme quand les grandes lames circulaires fendent le tronc à la scierie. Il a toujours aimé ce mélange de pétrole, de résine et de froid. C'était sa montagne. Il la regardait alors avec l'innocence d'un enfant. C'était avant le désert.

Retrouver la gamine avant qu'elle meure de froid n'effacera pas ce qui s'est passé là-bas. Il n'a rien fait pour les arrêter. La sueur lui brûlait les yeux et il n'y avait autour de lui que des silhouettes molles. Il s'est caché dans le dépôt de munitions abandonné, à l'abri des snipers. Même le corps d'Éric à côté de lui était flou. Juste avant, il y avait eu ce bruit, un *clic*, sur sa gauche – le cran de sûreté du Famas d'Éric, a expliqué Sylvain aux enquêteurs. Quand les militaires sont venus le voir, Calixte a confirmé cette version. Rien ne prouvait que les choses s'étaient passées autrement.

La neige et le vent gomment les formes de la montagne comme la chaleur et le soleil faisaient disparaître les formes de la vallée ce matin-là. Il ne doit pas être loin du sommet, pourtant il ne reconnaît aucun de ses points de repère – le surplomb qui semble sortir de la paroi, comme un mauvais rêve, à cent mètres de la ligne de crête ; le sapin penché dans le vide, au-dessus de la station ; la grotte du Cerf.

Le cerf. Les dieux de la forêt.

C'était il y a des années. La neige sur le pull noir du Forestier. Éric, statue à la carabine, œil dans le viseur. Sylvain, sombre et figé comme un enfant mort-né à côté de lui. Un frère avait commencé le travail. L'autre, prisonnier des mains de son père, l'avait achevé. Le fusil et le couteau. La poudre et la lame.

La neige tourbillonne devant l'entrée de la grotte. Il y avait du sang noir sous l'animal blessé et sur les mains de Sylvain ; une odeur de poudre dans les cheveux d'Éric. Les yeux morts du cerf les fixent toujours, mais le malheur qui frappe leur famille porte la trace d'un crime plus ancien.

Le sang du cerf était noir comme le pull du Forestier et comme les yeux d'Éric, un autre matin, dans le dépôt de munitions. Calixte frissonne. La neige tombe et dissout la réalité. La lumière et la chaleur la faisaient fondre sur l'herbe cramée au fond de la vallée. Mais lui, il était là. Et il n'a rien fait.

Le ciel s'est obscurci. Dans une heure, il fera nuit. Un aigle plane au-dessus des sapins. S'il pouvait lui demander son aide, voir la forêt de là-haut. La gamine ne peut pas être loin. Elle allait à la grotte, c'est sûr. Éric avait assez de folie en lui pour raconter ses histoires d'animaux et de dieux à sa fille. Il était encore trop enfant lui-même pour savoir que les enfants prennent tout au pied de la lettre.

La montagne n'attend pas. L'aigle tourne dans le ciel. Il l'a vue, lui. Il sait où elle est. Si c'était un dieu, il lui enverrait un signe. Mais on ne peut croire ici qu'au silence, à la nuit qui vient. Calixte se met à courir, poussé par sa révolte contre la montagne, le refus de sa loi. Voilà ce qu'il doit voir : l'anorak rouge et noir de la gamine, le deuxième bâton à moitié enseveli dans la neige. Il court entre les arbres en hurlant son nom.

Elle est là, assise contre un sapin. Les mains et les pieds gelés. Endormie ou morte. Ça ne changera rien pour Éric.

« Florence ? »

Elle ne bouge pas. Il arrive trop tard. Il répète son nom, dix fois, sans qu'elle réagisse. Il la prend dans les bras et lui frictionne les jambes, les bras, le dos, le torse. Il ne neige plus, mais des flocons volent dans l'air froid. Il fait nuit. Dans la vallée, les rafales soulevaient les herbes mortes et les faisaient danser dans la lumière.

« Je m'appelle Clémence », murmure-t-elle.

Pour un homme coupable, elle a le plus beau prénom du monde.

Des armes et des os

2006

C'est la fin de la matinée, les petits marchands venus de l'autre côté de la frontière remballent leur bric-à-brac, sans avoir rien vendu. L'albinos avec les fausses Rolex aux bras, du poignet jusqu'au coude. Celui avec le T-shirt vert foncé et les Ray-Ban en plastique. Celui avec les maillots de foot : Italie, France, Brésil, Argentine, Allemagne, Sénégal – le même chiffon de synthétique râpé *made in Indonesia*. Celui avec les magazines d'il y a dix ans, les bouteilles d'eau, les paquets de chewing-gums périmés. Celui à la voix aiguë, avec ses eaux de toilette frelatées. Le plus grand, un bègue à l'air maussade, avec les ustensiles qui ne servent à rien et qui n'ont pas de nom.

Voilà un mois que ces gamins viennent tous les jours au cantonnement. Les tentes étaient à peine montées quand ils ont débarqué. Six adolescents d'une quinzaine d'années, dont les apparitions sont réglées comme du papier à musique. Ils s'installent toujours au même endroit, sous un auvent de fortune, inspectent les environs d'un regard morne, puis se mettent à racoler comme si c'était la première fois et que personne ne les connaissait. Les chasseurs ont appris à regagner leurs quartiers quand ils les aperçoivent passer la borne du kilomètre 4. Les deux locaux qui travaillent comme interprètes éloignent les mômes comme des mouches, d'un revers de la main, sans les regarder, et retournent à leur somnolence accroupie. Les petits marchands ne leur en tiennent pas rigueur, ni aux Blancs, ni aux Noirs. Ils mettent tout ce qu'ils ont dans leurs cris pour ameuter le client, mais n'affichent aucune déception en repartant avec leur camelote intacte.

« Qualité extra-originale !

– D-d-d-dix fois moins cher que sur les Champs-Élysées ! Cent fois plus ch-ch-chic !

– Elle te dit l'heure à New York, Singapour et Bobo Dioulasso !

– O. J. innocenté !

– Pour la cuisine. Le jardin. L'aspirateur. »

Le seul qui ne gaspille pas sa salive, c'est le footballeur. Il a une bouille ronde ; son pantalon traîne dans la poussière. Éric lui donne des barres de céréales. Des amandes, quand il y en a dans le réapprovisionnement.

« Moussa. On dit quoi aujourd'hui ?

– Ça va un peu.

– Un peu, ou un peu un peu ?

– Un peu.

– Tu files un mauvais coton. Parle-moi de la Coupe du monde.

– C'est futur, ça. On ne raconte pas le futur au Blanc.

– Et pourquoi donc ?

– On ne sait jamais. Il pourrait s'en souvenir. »

L'albinos les a vus en train de parler et rapplique. Éric met sa main en visière. Sous le soleil de midi, la quincaillerie sur les bras du gamin est plus aveuglante que la boule à facettes du Trinity, la boîte d'Isola.

« Cadeau, chef. Trente mille. Je ne peux pas baisser plus. Il ne faut pas me demander ce que je ne peux pas donner.

– Ça tombe bien : je ne t'ai rien demandé. Tiens. »

Le gosse repart tout sourire, avec son morceau de vivres estampillé ministère de la Défense. Les autres ne tarderont pas à venir chercher le leur.

« Qu'est-ce que je t'ai dit, Fedeli ? »

Le lieutenant Ferrand dévisage Éric en clignant des yeux. Il a un coup de soleil sur le front et la nuque. Il ne se plaint pas, mais tout le peloton sait que cette chaleur le met au supplice.

« Désolé, mon lieutenant. Ce n'est qu'un gamin.

– Je n'aime pas ça. On est dans une zone de guerre, vous vous rappelez ? Les rebelles savent que nous sommes ici. Ces enfants nous exposent et ils deviennent des cibles. Les civils, majeurs ou pas, n'ont rien à faire dans nos pattes.

– C'est vrai, mon lieutenant. Mais les gosses s'y sont mis tout seuls. On ne va pas non plus les chasser à coups de pied au cul.

– Vous les encouragez. Qu'on fasse du social quand les gars du Renseignement nous le demandent, passe encore. Il y a un but tactique. Mais vous en faites déjà trop au village avec la Croix-Rouge et cette histoire de plomberie. On est un groupe de combat, pas une épicerie ni une ONG.

– Vu, mon lieutenant. »

Parfois, les gamins reviennent en fin d'après-midi, quand il commence à faire moins chaud. Ils flânent, en gardant leurs distances. Ils regardent le match de foot entre les Savoyards et ceux du Mercantour. Il n'y a pas trente-six façons de tuer le temps, dans cette vallée de tôle brûlante. Briefing du matin : rien à signaler.

Exercices, entretien et vérification du matériel. Repos. Patrouilles de reconnaissance. Briefing du soir. Rebelote. Le peloton s'ennuie. Sa guerre ressemble aux rondes d'un garde forestier, sans la forêt.

Le lieutenant fait ce qu'il peut pour maintenir son monde sur le qui-vive. On dit depuis quelques jours que les rebelles se sont déplacés plus à l'est, au Mali. Le satellite confirme. Le terrain est bien plus aride là-bas : le désert, le vrai, sans pluies. L'inégalité du rapport de force y est moins évidente.

« Alors pourquoi est-ce qu'on ne bouge pas pour renforcer les nôtres ?

— On devient fou, ici !

— Autrement, qu'on nous renvoie à Annecy. On n'a pas signé pour faire les cent pas le long d'une frontière. »

Sur les cinquante-deux hommes du peloton, quelques-uns ont le mécontentement plus sonore que les autres. Ferrand, serein, attend que la démangeaison se calme.

« L'état-major n'a pas à motiver ses ordres. Vous, vous avez signé pour y obéir. Si vous avez des réserves, des plaintes, faites-moi plaisir : gardez-les pour vous.

— Oh, ne vous tracassez pas, dit quelqu'un au fond de la tente. Ils vont revenir. »

C'est Sylvain, assis à l'écart, ses lunettes de soleil sur le haut du front.

« Vous dites ? demande le lieutenant.

— Le pas de côté des rebelles. C'est une ruse pour nous faire partir. Ils reviendront dès qu'on aura plié bagage. Les portes du Sénégal grandes ouvertes.

— Qu'est-ce qu'il en sait ?

— Rentre chez toi couper du bois, Napoléon !

— Lazar n'a pas forcément tort, tranche Ferrand, même si son opinion ne compte pas plus que les vôtres.

Jusqu'à nouvel ordre, on reste ici. Vous pouvez disposer. »

Tous les gars sortent en traînant les pieds.

« Quoi de neuf ? demande Sylvain à Éric.

– J'ai besoin d'un coup de main au village.

– Frangin, pour toi j'irais au bout du monde. »

Ils n'échangent pas un mot dans le pick-up. C'est Éric qui conduit. Le mot ne lui est jamais venu à l'esprit : défiguré. Il y a quinze ans, il a arraché la figure de son frère. La moitié gauche s'est figée dans une tension permanente. Sylvain regarde les insectes s'écraser sur le pare-brise, un étrange sourire aux lèvres. Il fredonne un air familier, puis s'interrompt. Sa voix est couverte par le bruit du moteur et des conduites en PVC qui roulent à l'arrière, faute de sangles. Éric connaît par cœur les cahots de la piste. Ils ont déjà passé la frontière.

Le village dort les yeux ouverts quand ils arrivent. Il n'y a d'ombre nulle part. Deux chiens qui n'ont que la peau sur les os longent le fleuve immobile à la recherche d'un rongeur à se mettre sous la dent. Un type aux cheveux blancs, torse nu et pantalon kaki, trie des morceaux de métal devant sa porte. De temps en temps, on l'entend crier :

« Mais non ! Ce n'est pas de l'or. Il n'y a pas d'or ici. C'est juste de la ferraille bonne à faire suer son homme ! »

Éric et Sylvain déchargent la cargaison et installent leurs outils à l'intérieur d'une maison de plain-pied, façade à la chaux et bac acier sur le toit. Sylvain scie le PVC en sifflotant le même air que dans la Jeep, pendant qu'Éric, à genoux sur le lino de la salle de bains, colle les raccords de plomberie. Il y a une odeur âcre sur les murs. Des particules de plastique flottent dans la lumière blanche. Le soleil flasque s'est répandu partout comme une inondation.

« Je n'ai plus d'apprêt, dit Éric. Tu peux aller voir s'il en reste un pot, à côté du ciment ? »

D'après la Croix-Rouge, l'usine de traitement des eaux usées en construction à vingt kilomètres en aval sera opérationnelle d'ici à la fin de l'année. Les humanitaires ont demandé un coup de main aux forces françaises et américaines présentes dans la région pour relier les habitations individuelles au tout-à-l'égout. On a décidé en haut lieu que l'image des soldats n'aurait pas à en souffrir. Quand la guerre n'est pas là, ils sont toujours bons à poser des chiottes.

« Oh ! C'est aujourd'hui que j'en ai besoin. »

Dehors, le vieux s'est mis à taper au marteau. Un chien aboie. La chaleur s'infiltre dans chaque silence, chaque pli de l'après-midi.

« Sylvain ? »

Il est prostré devant le plateau ouvert du pick-up, les deux mains dans le sac d'outils.

« Bois, dit Éric en lui tendant une bouteille d'eau. Tu as pris un coup de chaud.

– Je ne les trouve pas », répond Sylvain, les yeux aussi liquides que le soleil étalé sur les murs. Les deux pots encore scellés sont juste devant lui.

« Tiens », dit Éric.

Sylvain retourne à l'intérieur, désorienté comme un somnambule secoué hors de son rêve. Éric entend le frottement de la scie sur le PVC. Il ferme les yeux. Au loin, une voiture s'en va sur la route de Saint-Louis.

« Soldat. »

La propriétaire de la maison, du moins la femme qui l'occupe, lui fait signe d'approcher. Elle a les cheveux très courts et les pieds nus.

« J'ai quelque chose à te dire. »

Dans l'autre pièce, Sylvain vérifie ses mesures.

« Les rebelles, dit la femme en baissant la voix.

– Vous pouvez parler.

– Détrompe-toi, soldat. Ils sont ici. Ils te regardent et ils t'écoutent.

– Les rebelles ? Au village ?

– Ici même. »

Elle a ouvert la fenêtre. Dehors, le vieux en a fini avec ses bouts de tôle et discute en bambara avec le petit vendeur de bouteilles d'eau.

« Dans quelles maisons se cachent-ils ?

– Tu ne comprends pas ce que je te dis, s'impatiente-t-elle. Ils ne se cachent pas.

– Combien d'hommes ? Ils ont des armes ?

– Je ne sais pas.

– Tout le monde sait qu'ils sont ici ?

– Oui. Tout le monde sauf les Blancs.

– Et personne ne les dénonce. »

Elle rit : « Mais enfin, ils sont chez eux. Pourquoi faudrait-il les dénoncer ?

– Je ne comprends pas.

– Ça, c'est vrai.

– Les rebelles sont chez eux ?

– Oui, soldat. Ils sont ici depuis longtemps. Tu n'étais pas encore né quand la grande rébellion a commencé. Je m'en vais. »

Il lui demande où elle va.

« Je te laisse travailler. Regarde : ton ciment est sec et le tuyau de ma maison est encore ouvert. Je n'aurais pas dû te distraire. »

Elle sort en saluant Sylvain.

« On remballe, dit Éric.

– On n'a pas fini.

154

– On finira demain. »

Sur le chemin du retour, l'horizon reste vide. Le vent s'est levé et des rafales secouent le pick-up.

« Tu as entendu ?

– Quoi ? dit Sylvain.

– Cette femme dit que les rebelles tiennent le village.

– Elle est folle. Il n'y a pas un chat dans ce bled à part nos vendeurs à la sauvette. C'est à se demander où ils sont tous passés.

– Je ne sais pas. Il y a quelque chose qui cloche. »

Les vibrations du moteur bercent Éric. La piste est longue et floue devant eux. Ils repassent la frontière. Kilomètre 12, kilomètre 11. Il a besoin de sommeil. Kilomètre 8. Ça lui revient, maintenant. L'air que Sylvain s'est remis à fredonner, c'est celui qu'il chantait à Clémence, la veille du départ dans la salle des fêtes.

Le lendemain, ils retournent au village avec une patrouille de douze hommes. Ferrand a donné le commandement à Éric. Sylvain assure l'arrière-garde, pendant que les autres fouillent les maisons par groupes de trois.

« R.A.S.

– Attention aux cloisons et aux faux plafonds.

– Et les planchers. Quand ils ne sont pas en dur, vérifiez-moi les planchers. »

Mais ils doivent se rendre à l'évidence : il n'y a pas plus de rebelles que de caches d'armes. Éric s'essuie la sueur sur le front. Sylvain allume une cigarette.

« Quelqu'un en veut une ? »

Deux chasseurs de Barcelonnette s'approchent et commencent à discuter. L'ennui. L'ennemi qui n'est pas là. La famille dans les Alpes. Éric transpire de plus belle. Le soleil est encore plus laiteux que la veille. Il s'appuie contre une façade, cherche un peu d'ombre, sans la trouver. Les deux chiens maigres passent devant la troupe. Le vieux torse nu cogne sur sa ferraille, sous l'œil du vendeur de bouteilles.

« Ce n'est pas de l'or ! »

Il y a des yeux cachés derrière les murs de ce bled qui fait semblant de dormir.

« On est ici pour une raison précise, dit la voix de Sylvain.

– Rien du tout, répond un des deux gars de Barcelonnette. On brasse du vent.

– Et encore, dit l'autre. Le vent va plus vite que nous. »

Éric tape sur l'épaule de Ledru, le benjamin du peloton.

« On va faire un tour. Je veux deux hommes ici et deux autres sur la place. Un barrage au carrefour à l'entrée du village. Personne ne passe jusqu'à ce qu'on revienne. »

La femme est assise dans son salon, un verre de thé à la main. Elle a les pieds nus. Sa peau est claire, fine comme du parchemin.

« Je vous attendais. Tu viens pour finir ton travail, soldat ? Le tuyau de ma maison est toujours ouvert. Tu crois peut-être qu'il va se sceller tout seul ?

– Il y a eu un contretemps, dit Éric. Je suis désolé. C'est à cause de ce que vous m'avez dit.

– Hier, je t'ai dit de finir ton travail. C'est tout ce dont je me souviens.

– Au sujet des rebelles. Nous avons fouillé le village sans rien trouver.

– Non seulement tu es sourd, en plus tu es aveugle. Je te plains.

156

– Je sais qu'il se passe quelque chose ici mais j'ai besoin de votre aide. »

La femme boit une gorgée. Elle lui sourit.

« Tu es perdu, soldat. Il faut que tu prennes de la hauteur pour trouver ton chemin. Là où tu es, il n'y a que la poussière de la piste. »

Elle soupire : « Je suis fatiguée. Allez-vous-en, maintenant. Et quand tu auras trouvé ce que tu cherches, n'oublie pas de revenir poser cette canalisation. »

Dehors, des poules tournent comme des possédées dans le jardin de l'ancienne villa préfectorale.

« Qu'est-ce qu'elles ont ?

– La grille de leur enclos a dû lâcher, dit Éric. On s'en occupera. Pour l'instant, il me faut une échelle. Ou n'importe quoi pour monter sur ce toit. Va demander au vieux là-bas s'il a de quoi nous dépanner. »

Les lézardes sur les colonnes et les vitres cassées donnent un air sinistre à la résidence. Le bâtiment et ses dépendances n'ont pas dû être occupés depuis des années.

« Je n'ai pas compris, dit Ledru en revenant les mains vides. Il n'a pas de matériel. Et d'après lui, les toits ne sont pas sûrs.

– Ce n'est pas bien haut, dit Éric. Je vais te faire la courte échelle. Tu te hisseras sur l'arête. »

Ledru se débarrasse de son fusil et de ses bottes.

« Vous avez vu ?

– Quoi donc ? Je t'ai déjà dit de me tutoyer.

– Je vous ai entendu dire vous au lieutenant.

– Le lieutenant, c'est différent.

– Vous avez vu la peau de cette femme ? Le vieux a la même, presque comme s'ils étaient blancs. Les gamins avec leurs breloques, aussi.

– C'est le soleil. Il est détraqué, par ici. Monte.

157

« – Où sont les autres habitants du village ?

– Monte. »

Ledru obéit. Il est plus lourd qu'il en a l'air. Le soleil tremble au-dessus de lui, comme le pendule d'une horloge bancale. Éric ferme les yeux. Le vieux Noir est là, assis sur son tabouret en fer, son rictus aux lèvres. Son visage s'évanouit en même temps que le poids de Ledru sur les épaules d'Éric.

En altitude, à des dizaines de milliers de pieds, la trace d'un avion de ligne se dissout sur le ciel blanc.

« Ledru ! »

Éric s'écarte du mur. Quelqu'un d'autre marche sur le toit, il y a deux foulées bien distinctes.

« Ledru ! Qu'est-ce que tu fous ?

– Éric ? Éric ? »

C'est la voix d'un autre homme.

« Redescends ! C'est un ordre !

– Éric ! Il faut que tu viennes voir.

– Je te dis de redescendre !

– Éric, qu'est-ce qui se passe ? »

Sylvain, sur la radio.

« Je ne sais pas. On a besoin de renforts.

– Je prends deux hommes et j'arrive. Ledru est avec toi ?

– Négatif. Il est sur le toit. Je ne suis pas sûr.

– Ne bouge pas. Je te vois. On arrive. »

La lumière du soleil et l'humidité effacent tout autour de lui.

« Éric ! »

Ce ne peut pas être Ledru.

« Descends tout de suite ! On a un problème.

– Il faut que tu viennes voir ça. Je ne suis pas sûr que… Il y a des armes. Et des os. Je ne sais pas comment c'est possible. »

La radio crachote à nouveau :

« Qu'est-ce qu'il raconte, bordel ? On est là dans trente secondes.

— Magnez-vous, dit Éric. Je ne vois plus rien.

— Respire. On arrive. »

Éric s'accroupit contre un mur, la tête entre les mains.

« Ledru, il faut que tu sautes.

— Je vais me casser les jambes.

— Qui est avec toi ?

— Je ne sais pas. Je ne sais pas ! Aide-moi, merde ! Ça sent le brûlé.

— Dis-moi ce que tu vois.

— Des armes. Des os. Il y en a partout. Ça craque quand je marche dessus. Aide-moi, je t'en supplie. Je ne sais plus où je suis.

— Je ne sais pas qui tu es », murmure Éric.

Devant lui, la maison est en flammes. La brûlure s'écoule du ciel blanc. Un feu du diable a pris dans sa tête.

Un certain Ledru

2006

Ils ont bien la tête de l'emploi.

Des huit membres de la commission d'enquête, Ferrand est le seul que Sylvain connaisse. Les deux officiers du bataillon, un colonel et un lieutenant-colonel dont il ne se rappelle pas le nom, il les a déjà croisés dans la cour de la caserne. Il y a aussi des représentants de l'état-major, un juriste et un autre civil du ministère de la Défense.

La pluie ruisselle sur les fenêtres de l'algéco. L'air est glacial. Le radiateur électrique pue et fait du bruit, mais il ne chauffe pas.

« Racontez-nous le premier incident, dans le village à la frontière sénégalaise. Que s'est-il passé ?

– Je croyais qu'on était ici pour parler de la disparition d'Éric.

– La commission a besoin de connaître le contexte », intervient Ferrand.

Il a été promu capitaine à leur retour en France. On dit que sa femme est enceinte d'un troisième garçon.

« Éric a eu un épisode psychotique dû au manque de sommeil. Tout a été documenté dans l'expertise.

– Nous connaissons le rapport du médecin. C'est votre version des faits qui nous intéresse. »

Ferrand l'encourage d'un hochement de tête.

« Pourquoi avez-vous accompagné Éric Fedeli dans ce village la veille des événements ?

– Il prenait les travaux d'assainissement menés par la Croix-Rouge très à cœur. Comme je m'y connais un peu, il m'avait demandé de l'aider.

– Avez-vous entendu sa conversation avec l'occupante de la maison dans laquelle vous aviez commencé à installer la plomberie ?

– Non. Je sciais les tubes de PVC d'après les mesures qu'Éric me donnait. J'étais concentré sur ce que je faisais.

– Vous n'avez rien remarqué d'anormal dans son comportement ni dans celui de cette femme ?

– Ils ont parlé un moment. Ça ne m'a pas étonné, sauf quand Éric m'a dit qu'on s'en allait alors qu'il nous restait plusieurs raccords à poser. Il détestait laisser les choses en plan. Ça ne lui ressemblait pas de partir comme ça.

– Il a peut-être eu peur.

– Je pense plutôt qu'il était pressé de tirer les choses au clair. »

Le juriste chuchote à l'oreille du fonctionnaire de la Défense. Dehors, la pluie s'est calmée.

« C'est en revenant à votre cantonnement que Fedeli vous a parlé des rebelles.

– Il m'a dit qu'ils tenaient le village. Au début, j'ai cru qu'il me faisait marcher. Mais il était sérieux.

– Capitaine Ferrand, dit le colonel, vous avez autorisé le déploiement d'une patrouille pour fouiller le village le lendemain.

– Les soupçons de Fedeli, étayés par les dires de cette femme, m'ont paru assez graves. Il fallait agir vite.

Le fils de pute, pense Sylvain.

— La section se tournait les pouces. C'était aussi une bonne façon d'occuper les hommes. La chaleur et l'ennui nous rendaient fous.

— Que s'est-il passé le lendemain ?

— On est arrivés quand le soleil était haut. Il n'y avait personne dans les rues à part le vieux ferrailleur et les gamins qui venaient nous refourguer leur camelote au cantonnement.

— Donc le village était désert.

— Les gens étaient chez eux. Ce n'est pas une heure où on met le nez dehors, là-bas.

— Ils n'ont pas fait de problèmes quand vous avez commencé à fouiller les maisons ?

— Aucun.

— Et vous avez trouvé des armes ?

— Vous savez bien que non.

— Répondez, je vous prie.

— Non. On n'a trouvé aucune arme.

— Mais au lieu d'ordonner la fin de l'opération, Fedeli est retourné voir la femme de la veille.

— C'est exact.

— Pourquoi y est-il allé seul, en violation des règles d'engagement ?

— Je lui ai proposé de l'accompagner, mais il n'a pas voulu. Il m'a demandé de mettre en place un périmètre de sécurité.

— À quelle distance la maison de cette femme se trouvait-elle de votre périmètre ?

— Deux ou trois cents mètres. J'ai suivi son trajet à l'œil nu.

— Et combien de temps s'est-il absenté ?

— Une dizaine de minutes, à peine.

– Vous avez attendu dix minutes pour le contacter par radio ?

– C'est lui qui a ouvert le contact. J'ai compris qu'il avait un problème et qu'il me demandait de le rejoindre.

– D'après vous, les mots qu'il a dits n'avaient aucun sens. Vous avez aussi déclaré à votre chef de section que sa voix était bizarre.

– C'était comme si deux personnes se parlaient. Comme un dialogue avec lui-même.

– Que s'est-il passé ensuite ?

– Je me suis dit qu'il délirait et qu'il avait besoin d'aide. J'ai pris deux hommes avec moi et nous l'avons rejoint.

– Vous avez trouvé Fedeli en proie à une grande agitation.

– En état de choc. Il nous regardait sans nous voir. On lui parlait et il ne répondait pas. Il était dans un autre monde. Il faisait des gestes brusques, comme s'il voyait des choses qui n'étaient pas là.

– Vous pouvez être plus précis ?

– Sur la radio, pendant qu'on le rejoignait, il s'est mis à parler de ce qu'il avait découvert sur le toit de la dépendance, dans le jardin de la villa préfectorale. Il a dit : "des armes et des os". Il y avait de la panique dans sa voix, elle était méconnaissable. On s'est mis à courir. Je m'attendais à trouver un arsenal et un charnier à ciel ouvert. Des choses insensées, sur un toit. Vous devez bien comprendre que ce n'était pas Éric : c'était quelqu'un d'autre.

– Sauf qu'il était seul, et pas sur le toit.

– Lui, il était convaincu d'être sur le toit et de parler à quelqu'un. Peut-être que c'est cette personne qui était là-haut.

– Le fameux Ledru.

– Oui. Ça me fait froid dans le dos quand j'y repense.

– Il n'y a personne de ce nom-là au bataillon, dit un des haut gradés. Ce sont les premiers mots qu'il prononce depuis le début de l'audition.

– Et chez vous, à Isola ?

– Non plus. Pas à ma connaissance.

– En résumé, Fedeli parlait à quelqu'un qui non seulement n'était pas là, mais qui a aussi la particularité de ne pas exister.

– Je vous ai dit qu'il délirait. L'expertise a confirmé.

– Il était persuadé que la maison brûlait.

– À un moment, il m'a regardé dans les yeux, j'ai cru qu'il avait retrouvé ses esprits. Il m'a dit d'un air triste : "Tu ne vois pas que je brûle ?" Il n'y avait rien à faire pour le sortir de ses hallucinations, alors on a décidé de lui donner l'intraveineuse.

– Là, vous le ramenez aux véhicules sur un brancard.

– Après avoir inspecté le toit, sur lequel on n'a rien trouvé que du sable. Et un tabouret en fer.

– En fer ?

– Les pieds comme le siège étaient chauffés à blanc. Un des hommes s'est brûlé les mains au troisième degré en voulant le déplacer. On l'a laissé à sa place.

– Pardonnez-moi : au troisième degré ?

– Comme je vous le dis.

– Rien d'autre ? »

Sylvain secoue la tête. Derrière la fenêtre, il ne pleut plus. Le jour vide pèse sur les murs et les toits.

« Je peux fumer ?

– Nous en avons presque terminé, dit l'officier du bataillon.

– Expliquez-nous ce qui s'est passé avant votre départ du village, ordonne un des émissaires de l'état-major.

– Il commençait à y avoir un embouteillage au carrefour où Éric avait dit de mettre en place le barrage. On a rétabli la circulation.

– Et il y a eu un accrochage.

– Si on veut. C'est le vieux ferrailleur du village qui a laissé tomber son marteau sur une voiture. Le conducteur est sorti comme un fou et s'est mis à le rouer de coups.

– Pourquoi avez-vous pris sa défense ?

– Je vous demande pardon ?

– Pourquoi vous en être pris personnellement au conducteur de la voiture au lieu de séparer les deux hommes comme le protocole l'exigeait ?

– Le conducteur était très en colère. J'ai voulu protéger le vieux qui était à terre. Je n'ai pas analysé la situation plus que ça.

– Un soldat vous a entendu provoquer le conducteur : "Viens ! Viens !" Vous confirmez ? »

Ils le fixent tous en attendant sa réponse, sauf le juriste qui continue à prendre des notes sur son carnet.

« Il s'agit de moi ou d'Éric ?

– Répondez, s'il vous plaît.

– Je confirme. Ça n'est pas une excuse, mais j'étais à bout de nerfs.

– Et les insultes racistes ?

– Quelles insultes ? »

Le juriste déplie un papier :

« Je cite : "Je vais te montrer, sale Nègre. Putain d'animal, regarde ce que tu fais à ceux de ta race, je vais te retourner la gueule." Ces mots sont bien les vôtres ? Vous confirmez avoir frappé le conducteur avec la crosse de votre fusil ?

– Je ne comprends pas.

– Répondez par oui ou par non.

– Sous-lieutenant Lazar, dit le civil du ministère de la Défense, si je vous disais qu'il n'y a aucun village aux coordonnées que vous nous avez communiquées ? Un fleuve, oui, une frontière, une route. Beaucoup de poussière. Mais pas de village. »

Tous leurs yeux sont sur lui comme des balles traçantes. Le blanc du ciel crible la fenêtre.

Il fronce les sourcils :

« Je ne comprends pas.

– Ce que nous essayons de vous dire, sous-lieutenant, c'est qu'il n'y avait pas plus de village que de dénommé Ledru sur les toits de l'ancienne antenne préfectorale. »

Kilomètre 4

1946

Le dernier jour de juin, la pluie s'est arrêtée de tomber à l'aube. Oumar a attendu qu'on ouvre les grilles pour sonner à la porte de la résidence préfectorale.

« Qu'est-ce que tu veux ? demande le domestique. Il est habillé comme un Blanc et parle avec l'accent des gens de Saint-Louis. Va-t'en, vilaine bête.

– Je suis ici pour voir le préfet Lazar.

– Monsieur le préfet est à Dakar. Il ne vient que pour les vacances.

– Sa famille est arrivée hier. J'ai vu la voiture. Est-ce qu'il sera là bientôt ? »

Le domestique lui demande ce qu'il veut.

« Je cherche du travail.

– Tu n'es pas bien grand. Qu'est-ce que tu sais faire ?

– Tout ce qu'on m'apprend. Je suis débrouillard.

– Je n'ai rien à te proposer, petit. Va voir ailleurs.

– C'est au préfet Lazar que je veux demander.

– Je suis son intendant et je te répète qu'il n'y a pas de travail. File, avant que j'appelle les gendarmes. »

Dans le jardin autour de la villa, il y a des centaines de fleurs ouvertes, de toutes les couleurs. Leur parfum flotte dans l'air, mélangé à l'odeur de la pluie.

« Qui est-ce ? »

Un garçon blanc se tient à l'entrée de la maison, à côté de l'intendant. Il porte une culotte et une chemise beiges. Ses cheveux sont très noirs. Il a le même âge qu'Oumar.

« Personne, dit le domestique. Retournez lire votre livre, Monsieur Pierre. »

Le garçon n'en fait rien et continue à fixer Oumar. Il lui demande comment il s'appelle.

« Oumar.

– Pierre », dit le garçon en lui tendant la main.

Oumar n'a jamais serré la main d'un Blanc. Le garçon lui fait signe d'entrer.

« Monsieur Pierre, ce n'est pas une bonne idée. Ce petit Nègre sort de nulle part. C'est peut-être un voleur ou le fils d'un bandit.

– Tu es un voleur, Oumar ? »

Le garçon le regarde en souriant. Son iris s'assombrit. Il y a quelque chose d'humiliant dans la façon dont il traite l'intendant – même si l'intendant le mérite, comme tous les gardes de cercle. Ceux qui se soumettent ne sont plus des hommes.

« Viens, je vais te montrer quelque chose. »

Oumar le suit dans le couloir. Des tableaux de vieux Blancs ornent les murs. Une autre domestique s'affaire dans la cuisine. La porte d'entrée se referme. Il a gagné la première partie : il est dans la maison du préfet. Le jardin à l'arrière est encore plus fleuri, des couleurs qui font tourner la tête. Il ne faut pas oublier pourquoi il est ici.

« D'où vient l'eau pour ces fleurs et cette pelouse ?

– Nous avons un puits. Là-bas, tu le vois ? Où as-tu appris à parler aussi bien français ?

– Il y avait une mission dans mon village. Les pères sont partis, mais j'ai continué à lire.

– Tu crois en Dieu ?

– Non.

– À Allah ?

– C'est la même chose, non ?

– Mon père dit qu'Allah est le nom que les Arabes et les Noirs ont inventé pour se convaincre qu'ils sont des hommes aussi.

– Tu es d'accord avec lui ? »

Le garçon sourit, sa pupille noire comme du charbon : « Regarde. »

Ils sont arrivés à la limite de la propriété. Devant eux s'étire le fleuve, aux eaux troubles et gonflées par la pluie de ces derniers jours. Des formes sombres jonchent la rive. Oumar plisse les yeux. Son estomac se noue. Une odeur affreuse plane sur la berge.

« Ils auraient dû faire des trous plus profonds », dit le garçon. Il met un mouchoir devant son visage et lui en donne un.

« Qu'est-ce que c'est ?

– Le bétail de la République. La ferme à l'entrée du village fait partie de la résidence. »

Il y a trente-cinq carcasses dans la vase. D'après le garçon, la première vache est tombée malade il y a un mois. Elle vomissait du sang et ne gardait rien de ce qu'ils lui donnaient à manger. Diop a attendu trois jours avant de la faire abattre. Il pensait qu'elle guérirait. Il avait peur que le préfet se mette en colère. Il avait tort.

« Qui est Diop ?

– L'homme qui t'a ouvert la porte. C'est un Noir stupide et méchant.

– Tu ne dis pas Nègre ?

– Je suis né ici, moi. Je suis comme vous. »

Ils descendent sur la berge, entre les corps gorgés d'eau. Les bêtes, à moitié décomposées, ressemblent à de grosses gourdes trouées et difformes. L'odeur de mort, même à travers le bout de tissu, donne envie de vomir.

« Pourquoi elles sont comme ça ?

– Diop a dit aux hommes de creuser au bord du fleuve. La terre est plus tendre ici. Ils ont abattu le troupeau et enterré les vaches à deux mètres de profondeur. Personne ne s'attendait à des pluies pareilles. Le fleuve est sorti de son lit. Ce sont les eaux souterraines qui ont fait remonter les cadavres à la surface. On ne sait pas de quoi elles sont mortes. Le vétérinaire de Saint-Louis ne sait pas ce qui a déclenché les hémorragies. Mal inconnu : c'est ce que Diop a écrit à mon père dans son télégramme. »

Le fleuve s'agite sous le vent du nord. Tout est léger autour d'eux, sauf l'odeur de charogne qui s'accroche à leur peau comme un mauvais pressentiment. Il vaudrait peut-être mieux repartir, oublier le préfet et retourner auprès de sa petite sœur. Mais parmi ces carcasses, il y a les bêtes volées à son père, le troupeau qu'il n'a pas su protéger quand les Blancs les ont rattrapés.

« Ne t'inquiète pas, dit le garçon en posant la main sur son épaule. Je vais te trouver un travail ici. »

L'écurie est calme. Oumar arrache les poils de la brosse ; les chevaux soufflent dans leur box. Il est seul avec eux. Comme chaque soir, il s'occupe de Gamal en dernier.

La jument n'a rien de particulier : ni très forte, ni très grande, ni très rapide. Mais l'éclat de ses yeux et sa robe brûlée donnent envie de lui faire des confidences. Le jour où Pierre a montré à Oumar les tâches de l'écurie, ils se sont arrêtés devant elle. Gamal les observait, en remuant la queue pour chasser les mouches.

« Tu as vu ? a demandé Pierre.

– Elle est différente, a dit Oumar.

– Regarde ses yeux. C'est parce qu'elle sait.

– Oui, a acquiescé Oumar. Et il a murmuré : Elle sait.

– Tu sais que je n'ai pas oublié pourquoi je suis ici », dit-il à la jument en lui brossant le crin.

Le préfet est arrivé à la villa une semaine après lui. Ils se sont croisés sans que Lazar le remarque au milieu de la marmaille de ses domestiques. Un matin, Pierre a annoncé à Oumar que le préfet était reparti à Saint-Louis pour une affaire urgente. En août, si on ne le rappelait pas dans la métropole, il passerait au moins quinze jours à la résidence. Gamal était son cheval favori pour la chasse.

Oumar repose la brosse dans le seau. Il enlève la glaise des sabots puis se met à caresser le flanc de l'animal. Il connaît par cœur le dessin de ses muscles.

« Je t'ai à l'œil, petit Nègre. »

Diop est derrière lui, torse nu à l'entrée du box. Depuis que le préfet lui a donné trente-quatre coups de fouet pour les vaches, Diop ne peut plus porter de chemise. Les plaies sur son dos ne veulent pas se refermer. Pour un homme soucieux de son apparence, c'est la pire des humiliations.

« Pourquoi trente-quatre ? a demandé Oumar le jour du châtiment. Il y avait trente-cinq vaches.

– La première, a répondu Pierre, Diop n'est pas responsable de sa mort. Mon père est un homme juste. »

L'intendant s'approche et attrape le bras d'Oumar. Il a le front en sueur :

« Ne te fais pas d'illusions. Je finirai par te coincer.

171

– Je ne fais rien de mal », dit Oumar en se dégageant. Son coude heurte les côtes de la jument. Elle pousse un hennissement.

Diop pointe un doigt accusateur sur lui avant de disparaître :

« Je sais qui tu es. Je serai toujours dans ton dos, petit Nègre. »

Dehors, la nuit est silencieuse, l'air humide. La pleine lune jette une lumière morne sur la piste et les colonnes de la villa. Oumar salue le gendarme à moitié endormi dans sa guérite. Il faut faire le tour du bâtiment pour rejoindre la boyerie, le quartier des domestiques, mais il s'attarde dans le jardin. Les fleurs ont perdu leurs pétales. Une odeur âcre monte de la pelouse, diffusée par l'humidité. La moisissure a déjà commencé son travail. Au-dessus du toit, dans le ciel embué, Oumar reconnaît l'étoile du Berger. Orion. Sirius. Quelque part, dans les plis de la nuit, le scorpion se fraie un chemin avec patience.

Il est le scorpion qui a le temps, caché dans l'amitié de Pierre. Il est l'orphelin du berger assassiné par le père du petit Blanc.

La porte de service grince – plusieurs soirs, il a aperçu Diop sortir de la cuisine avec des restes, un os de pintade entre les dents. Ses mains grasses luisaient dans l'obscurité. Un jour, le préfet a fait fouetter un de ses hommes parce qu'il avait oublié d'huiler les gonds. Diop était volontaire pour exécuter la sentence.

La silhouette épaisse de l'intendant n'est pas celle qui s'enfuit entre les bougainvilliers. C'est Aïssa, la fille de Doulaye, le dresseur de chevaux. Un boy a dit à Oumar qu'elle a quatorze ans. On raconte que son père cherche à la marier, pour rembourser des dettes. Comment une fille de deux ans son aînée peut-elle avoir

172

la beauté d'une femme ? Parfois, à la table des domestiques, il s'assied non loin d'elle et passe le repas à la contempler. L'ovale de son visage est sans défaut. Sa bouche murmure des douceurs où il pourrait se coucher et oublier sa mission. Les yeux d'Aïssa rient et caressent ceux qui la regardent. Elle a le front intelligent, les cheveux délicats comme les nuits d'automne, de petites oreilles faites pour entendre le clapotis de l'eau. Il y a des jours où le son de sa voix remplit Oumar de joie, d'autres où l'entendre le met au comble de l'angoisse. Ses sourires, quand il le croise au puits ou sur le chemin de la ferme, font exploser en lui des sensations effrayantes et merveilleuses. Il se jetterait avec bonheur dans la gueule d'un lion si elle le lui ordonnait.

Elle passe devant lui et s'effondre dans l'herbe en serrant son jupon.

« Ne reste pas là, dit-elle en s'apercevant de sa présence.

– Qu'est-ce qui t'arrive ? »

Elle se couvre le visage d'une main.

« Je ne veux pas que tu me voies comme ça.

– Dis-moi qui t'a fait du mal.

– Tu ne comprends donc pas ce qui se passe ici ?

– Parle-moi. Je te protégerai. Je t'emmènerai avec moi. »

Il s'agenouille à ses côtés. Elle lui caresse le visage :
« Tu n'es qu'un enfant. »

Est-ce la rosée ou ses pleurs qu'il sent sur la main d'Aïssa ? L'autre reste agrippée au blanc de son jupon.

« Qu'est-ce qui t'est arrivé ?

– J'ai eu un bébé l'année dernière. Je l'ai appelé Salif. Les vieilles m'avaient dit de le donner à une femme du village. J'ai attendu. Je ne pouvais pas l'abandonner. C'était mon garçon. Une nuit, Diop est entrée

173

dans le dortoir avec deux Blancs. Ils portaient l'uniforme des gendarmes. Diop me l'a pris pendant que les Blancs me tenaient les bras et les jambes. »

Elle lève la tête vers les étoiles et reste là, à écouter leur silence.

« Les vieilles m'ont dit qu'il n'y avait rien à faire. Que Diop allait porter mon bébé au fleuve. Qu'il lui tiendrait la tête sous l'eau, jusqu'à ce qu'il ne bouge plus. Ce n'est pas moi qui l'ai abandonné. C'est Diop. Il a abandonné mon enfant au fleuve. »

Elle ne pleure plus. C'est lui, Oumar, qui tremble.

« Chaque nuit où Diop revient du fleuve avec ses bottes mouillées, tu sais qu'un bébé ne respire plus et qu'une femme veut mourir.

– Pourquoi le préfet ne fait rien ?

– Il fait, petit. Les nuits de pleine lune, quand les jeunes femmes sont fécondes, il nous fait amener dans sa chambre. On tue les enfants de sang noir et on les remplace par des enfants de sang blanc. Le préfet est leur papa à tous. »

Le clair de lune empoisonne la nuit autour d'eux : les contours de la villa, l'humidité du sol, les bruits des animaux, la main d'Aïssa qui serre son pauvre bout d'étoffe. Oumar n'arrête pas de trembler – la même terreur que le soir où le préfet Lazar a tiré une balle dans la tête de son père.

« Pourquoi ?

– Des temps vont venir où le Blanc ne sera plus le maître ici. Si les nouveaux maîtres ont du sang mêlé, ils n'oublieront pas de rendre service au pays de leur papa. »

« Baisse la tête. Il y a un gendarme à l'entrée de la mine. »

174

Oumar et Pierre sont cachés derrière une butte à huit kilomètres du village, dans les mauvaises herbes et les pierres. Le sol est chaud sous leurs genoux. Ils ont laissé les chevaux en bas, attachés à une borne que les ingénieurs blancs sont venus poser le mois dernier.

« Qu'est-ce qui est écrit ? a demandé Oumar.

– Kilomètre 4, a répondu Pierre. La route de Saint-Louis passera par ici. »

Il a souri. Oumar a caressé le front de Gamal, puis ils se sont remis en chemin à pied.

« Ils ne vont pas tarder, chuchote Pierre en regardant sa montre. Tu vois les rails ? Ils continuent sous un tunnel de trois cents mètres, jusqu'au départ des galeries. L'or est stocké sur une plateforme. Puis ils le chargent dans des chariots.

– Tu es déjà entré ?

– J'ai vu les plans dans le bureau de mon père, à Saint-Louis. »

Le soleil étouffe le ciel et tombe sur eux de tout son poids. Oumar a les yeux grands ouverts. L'odeur de Pierre flotte à côté de lui, sa transpiration de Blanc qui mange les produits de Paris arrivés par la valise diplomatique. La sueur coule par petites gouttes sur sa tempe et donne à ses cheveux l'aspect d'un plâtre encore frais. Pierre est son ami, mais il n'y a rien d'aimable dans cette odeur. Elle a quelque chose d'écœurant, de pourri, qui prouve que les Blancs ne devraient pas être ici. La sueur des Blancs les trahit : ils sont chez eux dans le froid et le gris, devant des murs noirs, arpentant des rues sans ciel, comme sur les cartes postales de Paris que la mère de Pierre lui envoie chaque semaine. Le ciel immense et la lumière n'ont pas de pitié pour eux : ils les courbent et leur font plisser les yeux, les essorent, les brûlent comme des insectes que la nuit jette dans la flamme de la lampe.

Pierre sort sa gourde et boit une longue gorgée. L'eau dégouline sur son menton et dans son cou, mélangée à sa transpiration.

« Tu en veux ? demande Pierre.

– Je n'ai pas soif.

– Je ne sais pas comment tu fais. »

Il range sa gourde en souriant, le même sourire que tout à l'heure, devant la borne du kilomètre 4. Il se passe la main sur les cheveux pour éponger la sueur. Est-ce qu'il sent son odeur de Noir qui a peur ?

Oumar se force à sourire lui aussi. Il faut que Pierre sache, qu'il devine. Ce ciel est aux Noirs. Ce soleil. Cette chaleur qui vide les Blancs de leur eau. Ce sable brûlant et ces cailloux, les gros qui écorchent les genoux et les petits ovales, comme le visage d'Aïssa. Les Blancs ne peuvent pas venir ici et tout prendre, la vie des pères, l'innocence des enfants, le corps des femmes, le travail des hommes, les fruits des arbres, le lait et la viande des bêtes. Ils transpirent parce qu'ils sont coupables. Le soleil et le ciel ne laisseront pas leurs crimes impunis.

« Ça y est, ils arrivent. »

La terre vibre sous leur ventre. Un bruit de moteur monte dans le silence du jour. À sa gauche, Pierre frétille comme le poisson au bout de la ligne. Au loin, de l'autre côté de la butte, un camion émerge d'un nuage de poussière. Oumar aperçoit l'emblème des gendarmes, imprimé sur la carrosserie. Un matin, sur le chemin de l'écurie, il en a vu passer un du même modèle. Il a reconnu les deux lettres, RF, cousues sur l'uniforme du grand-père Namori.

Le camion se gare devant le gendarme en faction, à hauteur des rails qui plongent dans le tunnel. Les quatre hommes installés à l'arrière sautent à terre. Ils sont en uniforme et portent des lunettes de soleil. Deux par deux, ils déchargent quatre grands coffres en métal et les ouvrent sur le sable. Les coffres sont vides. La sueur dégouline sur le visage des hommes et graisse leurs cheveux. Le chauffeur apostrophe le garde :

« Il y a moins que le mois dernier ? »

L'autre sourit en lui serrant la main :

« Tu es mal renseigné, camarade !

– Non ? s'exclame le chauffeur.

– C'est le lieutenant Ledru, dit Pierre. Il vient de la Légion. Mon père l'a pris sous son aile quand il était tout jeune. »

Le garde lui tape sur l'épaule :

« Deux fois plus. Ils ont touché une veine hier matin. On les a fait travailler toute la nuit. Ils suaient comme des bêtes, là-dedans. J'espère que tes pneus sont bien gonflés. Tu repars avec trois cent quatre-vingt-dix-sept kilos.

– Tu m'as déjà fait le coup.

– Regarde un peu. »

Cinq chariots sortent du tunnel, couverts par une bâche et escortés par un gendarme.

« Il n'y a personne qui pousse, observe Oumar.

– Les rails sont électrifiés, dit Pierre. C'est mon père qui a dessiné le système. »

Les gendarmes de la mine et ceux du camion se saluent en jurant. Les Blancs font souvent ça quand ils sont heureux de se retrouver. Ils jurent, sans savoir pourquoi, et parlent fort, comme des enfants idiots. Deux hommes se postent aux extrémités du camion, arme au poing.

« Voyons voir, dit Ledru.

– Couvre-toi les yeux, dit Pierre.

– Je ne crains pas la lumière », répond Oumar, trop fort. Sa voix se perd dans le froissement des bâches que les gendarmes soulèvent. Pierre ne sourit plus. Il le regarde avec un étonnement teinté de méfiance.

« Comme tu veux, lâche-t-il en se remettant à plat ventre. Mais pour l'amour du ciel, tais-toi. Si Ledru nous trouve ici, je passerai un sale quart d'heure, et je ne donne pas cher de ta peau. »

En bas, les onze hommes sont immobiles devant les chariots découverts, comme s'ils hésitaient à s'en approcher.

« Eh bien, qu'est-ce que vous attendez ? crie Ledru. Chargez-moi ça dans le camion.

– Il n'y a pas assez de coffres, dit l'un des gendarmes.

– Remplissez-les autant que vous pouvez. S'il le faut, on emportera un des chariots. Avec ta bénédiction ?

– Du moment que vous le rapportez, dit le garde. La veine est la plus prometteuse depuis qu'ils ont commencé à creuser. Il faudra peut-être que vous reveniez avec deux camions.

– Vive la République, dit Ledru sans enthousiasme.

– Vive la République, camarade.

– C'est la troisième fois que je viens, dit Pierre. Je n'ai jamais réussi à regarder l'or en face.

– C'est parce que ce n'est pas ton or.

– Qu'est-ce que tu racontes ?

– Ni ton or, ni ton soleil. L'or vous brûle les yeux, le soleil vous brûle la peau, parce qu'ils ne sont pas à vous. Moi, je peux les regarder. »

Les pépites brillent dans les chariots comme des morceaux d'étoiles tombés du ciel. Les Blancs n'ont pas le droit de les prendre. Ni les hommes, ni leur République française. Oumar les regarde faire. Ils n'avaient pas le droit de tuer son père. Il se dresse sur la butte et les regarde violer sa terre. Il est chez lui.

« Couche-toi, bon sang !

– Ils ne peuvent pas me voir. Le soleil est derrière moi et ils craignent le soleil.

– Tu vas nous faire prendre ! »

Il ne veut plus se coucher. Tant pis si ceux d'en bas le prennent. Un homme, ça doit vivre debout.

« Attention, imbécile ! »

C'est la voix de Ledru. En apercevant Oumar sur la butte, un des gendarmes a laissé tomber l'or qu'il portait.

« J'ai vu quelqu'un là-haut, mon lieutenant.

– Ah oui ? Dis-moi un peu à quoi il ressemblait.

– À un Nègre, mon lieutenant. Un jeune. »

Les autres se mettent à rire. Oumar est au sol, le visage plaqué contre l'herbe par la main de Pierre. Un caillou lui rentre dans le plexus.

Ledru reprend : « Allez, vous autres. Il a pris un coup de chaud : ça arrive aux meilleurs. Dépêchez-vous de me charger ces coffres, qu'on en finisse.

– À propos, dit le garde, il faudra penser à m'envoyer la relève. Ils crèvent, là-dedans.

– J'avertirai Lazar.

– De qui ils parlent ? demande Oumar.

– Viens, répond Pierre en reculant sur ses avant-bras.

– Qui travaille dans cette mine ?

– Je ne sais pas.

– Tu sais beaucoup de choses. Mais ça, tu ne le sais pas ?

– Il faut partir.

– Je reste.

– Pourquoi veux-tu te faire du mal ? Je ne suis pas comme eux.

– Alors pourquoi m'as-tu amené ici ? »

Un coup de feu éclate. En bas, le gendarme posté devant le camion a son fusil à l'épaule. De la fumée sort du canon. À une dizaine de mètres, derrière l'entrée du tunnel, un homme se traîne dans la poussière. Il est noir et n'a qu'un bout de chiffon sur le dos.

« Il fallait faire une sommation, dit Ledru. C'est regrettable. Maintenant, il faut l'achever et l'enterrer. »

Il tend son arme de poing au gendarme, qui secoue la tête.

« Tu ne veux pas ? »

Le métal du pistolet devient le centre du jour – sa forme nette brûlée par la lumière, sa crosse prisonnière de la main de Ledru. Un deuxième coup fuse dans l'air. L'homme ne bouge plus. Oumar se met à vomir. Où est passé Pierre ? En bas, la voix de Ledru commande à ses hommes de sortir leurs pelles et de se mettre à creuser.

Aïssa le regarde atteler Gamal, ses yeux remplis d'une réprobation qu'il ne comprend pas.

« Il faut que ça s'arrête, dit Oumar.

– D'autres hommes viendront, répond-elle. Si le préfet meurt, un autre préfet le remplacera. Et ainsi de suite. C'est nous qu'on punira.

– Alors, on recommencera. Jusqu'à ce qu'ils ne reviennent plus. Il faut reprendre ce qui est à nous. Et il faut cesser de se donner.

– C'est pour moi que tu dis ça ?

– Non. Mais tu acceptes qu'il te prenne.

– Celles qui refusent, on les tue et on les enterre là-haut dans le désert. Leurs familles ne savent même pas où. Celles qui parlent, aussi. »

La jument ne se laisse pas faire. Elle sent qu'il n'a pas assuré la selle.

« Demain, dit Oumar en lui caressant le cou, le préfet part chasser à l'aube. Il tombera au premier galop. Même s'il survit à la chute, il ne sera plus en état de te faire du mal.

– Tu es si naïf, murmure-t-elle.

– Je hais cet homme.

– D'autres viendront. Et je ne t'ai rien demandé.

– Je le fais pour moi, dit-il en refermant le box. Je n'ai pas besoin de ta permission. »

La nuit d'août est humide. Le grand acacia se balance sous la lune. Rentrer à la boyerie, pour voir les uns agglutinés comme des termites, la tête baissée au-dessus de leur écuelle, les autres faire la queue en silence devant les latrines ? Cette résignation n'est que la vérité d'aujourd'hui. Son père lui a raconté l'Histoire. Les Blancs sont ici depuis cinq siècles, pas depuis toujours. Les Français prétendent qu'ils sont arrivés les premiers, mais ce sont les navigateurs portugais, puis les marchands hollandais, qui ont commencé à se servir dans les richesses locales. Les Blancs avaient la poudre et les bateaux ; voilà. Son père lui a appris les mots, les rouages commerciaux et juridiques de la colonisation : les comptoirs, la traite, le code noir – une mécanique bien huilée. 1626, la Compagnie normande de Rouen. Le premier nom du Viol. Les noms de la révolte : Lat Dior, Damel du Cayor ; El Hadj Omar, chef de la confrérie tidjane ; Cheikou Cissé, le tirailleur né au Soudan qui a combattu avec le grand-père Namori dans la Marne et que la République a envoyé au bagne en Nouvelle-Calédonie. Les assassins de Thiaroye. Le nom de l'infâme Faidherbe. Son père lui a raconté la bataille de Deukhlé, les batailles du rail, les grèves, les hommes arrachés comme Namori à leurs villages pour aller mourir dans les tranchées, déchiquetés par les obus allemands. C'est le chemin de fer de Dakar à Saint-Louis qui a entériné la domination des Français. Sans le train, ils n'auraient pu approvisionner leurs troupes à l'intérieur, ni exporter l'arachide. En un siècle à peine, ils ont tout pris et tout effacé. Les Noirs ne savent plus qui ils sont. Ils ont accepté de devenir des Nègres. Pourtant, Aïssa a tort : d'autres viendront, oui, mais ce seront des Noirs, libres comme Oumar, comme son père, comme Namori. Ils chasseront les Blancs.

Il se promène sans but et s'allonge sous un bougainvillier. Le sommeil l'emmène sur une plage, il y a très longtemps. Un garçon marche. Il a les traits du père d'Oumar enfant et porte l'anneau de sa mère au doigt. Les vagues viennent mourir sur le rivage et lui mouillent les pieds, que sèche le vent du large. L'eau et le vent, sans fatigue, recommencent leur travail à chacune de ses foulées. Il a confiance en eux. La marée couvre ses pas. Il scrute le sable sans fin devant lui. De temps en temps, il s'accroupit pour ramasser un coquillage. Il a l'habitude de les rapporter à sa petite sœur ; elle fabrique des colliers. Personne ne connaît le chemin des coquillages. Celui-ci, il lui racontera qu'il est venu de très loin. Elle passera des heures à contempler les reflets sur la nacre.

Le garçon se redresse et se tourne vers l'océan : il y a une forme blanche à l'horizon, entre l'eau et le ciel. Ce n'est pas un nuage. La forme grossit, comme les pirogues quand les hommes du village rentrent de la pêche. Les meilleurs poissons se trouvent derrière la barre – la vague-frontière entre l'océan et le rivage. Nombreux sont les pêcheurs qui tombent à l'eau au moment de la franchir. On ne les revoit plus. Son père, lui, réapparaît toujours de l'autre côté du rouleau. Lorsqu'il revient sur la plage, il a un sourire fatigué. La peau des poissons au bout de sa lance est glissante et argentée. Ils ont l'odeur de la mer et du travail bien fait.

Aujourd'hui, les hommes du village sont partis couper du bois. Il devrait n'y avoir personne sur l'eau. La forme à l'horizon devient un bateau immense – plusieurs bateaux, six voiles gonflées par le vent. D'autres voiles, plus petites et de couleurs vives, flottent au sommet de longues tiges de bois, hautes comme des arbres. Les bateaux avancent beaucoup plus vite qu'une pirogue. Il y a des dizaines d'hommes à bord, le corps recouvert d'une matière brillante que le garçon n'a jamais vue. Ils ont la peau claire ; leur visage n'a rien d'amical. Est-ce que ce sont seulement des hommes ? Ils ressemblent aux esprits qui gardent le royaume des morts. Le garçon se met à courir en direction du village, en criant que la fin du monde est venue.

« Oumar, dit Pierre. Il se tient près de la haie. Je m'en vais demain.

– Où ?

– Je rentre à Saint-Louis. Ma mère est arrivée.

– Mais ton père reste.

– Oui. Il nous rejoindra dans une semaine.

– Bon voyage, dit Oumar en tournant les talons.

– Attends, fait Pierre. J'ai quelque chose pour toi. »

Oumar tend la main. Pierre garde la sienne fermée :

« Tu es encore mon ami ?

– Pourquoi je ne le serais plus ?

– Parce que tu penses que je suis comme les autres Blancs.

– Tu n'y peux rien.

– Mais je suis ton ami.

– Moi aussi. »

Sur la paume de Pierre, Oumar reconnaît l'anneau de mariage de ses parents.

« Mon père dit que c'est un anneau magique, souffle Pierre. Fabriqué il y a très longtemps. Il brille dans la nuit. Il chauffe. Il a le pouvoir de faire voyager dans le temps et l'espace. Moi, je l'ai mis une fois. Je ne sais pas ce qui s'est passé parce que je me suis évanoui.

– Comment sais-tu qu'il a ce pouvoir, alors ? »

Pierre baisse les yeux :

« Mon père me l'a dit.

– Je n'y crois pas.

– Cheval donné, on ne regarde pas les dents.

– Qu'est-ce que ça veut dire ?

– Ne fais pas la fine bouche. »

Oumar prend l'anneau et serre la main de Pierre, qui disparaît dans la nuit.

À l'intérieur de la boyerie, la salle qui sert de réfectoire est déserte. Une bougie se consume sur la table, éclairant de sa pauvre lueur les assiettes et les couverts qu'on a laissés en vrac. Si Diop voit ça, tout le monde aura droit au fouet, même les enfants.

Il n'y a personne dans le dortoir des femmes. Pas de bruit non plus à l'étage, où les hommes devraient être en train de se raconter leur journée. Le grincement de l'escalier, sous les pas d'Oumar, résonne dans le bâtiment vide. La lampe qui éclaire le palier est éteinte.

Oumar avance à tâtons entre les deux rangées de paillasses. Il fait nuit noire. Les allumettes sont cachées sous sa couverture. Sa main glisse sur la planche vermoulue qui tient lieu de sommier. L'anneau de ses parents racle le bois. Les allumettes ne sont pas là.

Un bruit sec de frottement le fait se retourner. Le préfet Lazar est assis sur le lit à côté du sien, une allumette entre le pouce et l'index. La flamme donne un éclat rouge à son visage.

« C'est ça que tu cherches, fils ?

– Oui, monsieur.

– Tiens, dit-il en lui donnant une chandelle. On y voit comme dans un four, ici. »

Oumar obéit. Diop est là, debout derrière son maître. Pierre et Aïssa sont à ses côtés. Elle baisse les yeux. Pierre, lui, fixe Oumar. Ses lèvres bougent comme s'il lui disait quelque chose.

« En principe, dit le préfet, je ne rentre pas chez les gens sans y être invité. Mais il semble que tu aies quelque chose qui m'appartient.

– Je ne vois pas, dit Oumar.

– Vraiment ? Montre-moi ta main gauche, fils. Là. À qui est cette bague, si elle n'est pas à moi ?

– C'est un anneau, dit Oumar. Et c'est le mien.

– Tu l'as pourtant volé. N'est-ce pas, Pierre ? »

Le visage du garçon a reculé dans l'ombre. Oumar reprend :

« Il me l'a donné. Non, il me l'a rendu.

– Rendu ? »

Le préfet se met à rire et se tourne vers Diop :

« Tu entends ça ?

– Oui, c'est vraiment pas mal », dit l'intendant.

Le préfet attrape Oumar et lui écrase la tête contre le bois.

« Tu voles, dit le préfet, et puis tu trouves que j'ai vécu assez longtemps ?

– Je n'ai rien volé », dit Oumar. Aïssa garde les yeux baissés. Elle aussi, elle l'a trahi.

« Viens voir par ici », dit le préfet en l'empoignant par le col. Le verre de la fenêtre est froid contre sa peau. En bas, les domestiques sont réunis devant les cases de passage : les femmes, les hommes, les enfants. Trois hommes de Diop éclairent le groupe avec des torches. De l'autre main, chacun tient un des chiens de Lazar en laisse.

« Ils n'ont rien mangé depuis hier, dit-il. Soit tu avoues, soit tu leur serviras de dîner ce soir. Je ferai fouetter ceux qui détourneront les yeux.

– Je n'ai rien fait de mal.

– Tu m'as volé et tu voulais me tuer.

– Il n'y a rien de mal à tuer les hommes comme vous. »

Le coup de poing l'atteint à la tempe. Oumar est couché sur le plancher, aux pieds du préfet. Du sang coule de sa lèvre inférieure. Il va mourir comme son père – comme un esclave.

« Dis-moi ton nom, fils.

– Il s'appelle Cam –

– Ferme ta gueule ! »

Le préfet, agenouillé au-dessus de lui, s'est retourné vers Diop. Il y a dans les yeux de celui-ci une peur de chien battu. Une sale peur de Nègre, à l'odeur aussi dégoûtante que la sueur des Blancs sous le soleil.

« Dis-moi ton nom. Je veux l'entendre de ta bouche.

– Je m'appelle Camara Oumar, comme mon père, fils de Namori et de Coumba. Je porte le même nom que l'homme que vous avez assassiné pour lui voler son bétail et à qui vous avez volé son anneau de mariage. Peut-être que vous en avez tué des dizaines comme lui. Mais moi je n'avais qu'un père, et c'était tout ce qu'il possédait : ses bêtes, pour nourrir ses enfants, et le souvenir de sa femme, pour supporter la vie. Je vais mourir comme lui, sans vous avoir rien donné que mon corps, mon sang et mes os. Je ne suis rien de ça : j'appartiens à un peuple qui refuse le maître. Vous croyez nous tuer,

186

et en nous prenant la vie vous libérez les esprits que nous devons être. Notre souffle, un jour, donnera aux vivants le courage de vous chasser de notre terre et de jeter leurs habits de Nègres. Ils seront mille fois plus cruels que vous l'aurez été avec nous, cent mille fois plus sanguinaires pour se laver de la lâcheté qui vous a permis de nous soumettre. Vous ne nous verrez pas venir. Quand leur lame s'enfoncera dans votre chair, que votre sang giclera sur le sable, que votre cœur s'arrêtera de battre, il ne restera plus rien de vous. Les chiens des routes feront un festin de vos charognes. »

Ce doit être un effet de l'obscurité, ou peut-être du coup qu'il a reçu. On dirait que le préfet pleure.

« Tu as fini, fils ? » dit celui-ci en reniflant. De vraies larmes coulent de ses yeux.

« Je suis prêt. »

Aïssa pleure, elle aussi.

« Emmène Pierre et la fille », dit le préfet à Diop, sans se retourner.

Les pas de l'intendant et des deux autres s'éloignent. La foulée lourde et traînante de l'intendant résonne dans l'escalier.

« Tu veux être un esprit ? Je vais exaucer tes vœux. »

Le préfet sort son couteau de chasse et tient la lame au-dessus de la chandelle. Dehors, les chiens se sont mis à aboyer.

« Je peux les dessiner les yeux fermés, vos balafres de sauvages. »

La lame s'enfonce dans la joue d'Oumar. Une chaleur de four lui brûle les chairs. Il ne sent pas la douleur, mais peut voir chaque détail du motif que le préfet est en train de graver sur son visage, comme s'il était sorti de son corps :

Oumar respire. Rien ne peut lui arriver tant qu'il respire.

« Ouvre les yeux, fils. Je te dis d'ouvrir les yeux ! »

Il ne fera plus ce que dit le Blanc. Ça, c'est fini. Il y a son père et l'enfant apeuré sur la plage. Son père soutient le regard du préfet ; l'enfant se retourne et ne bouge pas tandis que les guerriers dans leurs armures de métal débarquent sur la terre de ses ancêtres. Oumar se souvient de l'anneau sur son doigt et de la chanson en bambara :

« D'Ourossogui je vais à Mal, en passant par Galoya
Je vais à Mal, je vais à Mal
Sous l'étoile pâle d'Uru-anna »

Quand il rouvre les yeux, il est un vieil homme assis sur un tabouret en fer, au milieu du désert. Il y a un soldat blanc en face de lui. Le soldat a un tigre sur son uniforme souillé par le sang, la transpiration et la poussière. Il a l'air mal en point.

Pierre

2007

« Je peux remonter la vitre, dit Calixte sans quitter la route des yeux. Si vous avez froid. »

Il y a des jours où Pierre se demande s'il ne fait pas semblant, lui aussi. Calixte a toujours eu du flair ; il sent les choses qui ne sont pas dites. Il comprend et il ne cherche pas à le montrer. Si son patron ment sur sa santé, il doit avoir ses raisons. Calixte n'est pas homme à faire des vagues. Il garde le silence. Ça fait de lui un menteur par omission – peut-être même un complice. Dans ce cas, ils sont deux imposteurs. Pierre n'oublie pas qu'il a été le premier.

Les violettes tapissent les prés de juillet. Un vent léger souffle sur la vallée. Il fait doux. Pierre a la migraine. Hier soir, il a eu soixante-treize ans. Seul Calixte s'en souvenait. Il lui a apporté un armagnac hors d'âge.

« J'aurais pu mal le prendre.

– Vous l'avez ouverte ?

– Juste un verre. Ou deux.

– Alors, vous m'avez pardonné. »

Il faisait encore nuit noire quand ils ont quitté la station. Depuis, ils n'ont croisé que quelques poids lourds. Des plaques bulgares, serbes, albanaises, en route vers l'Italie. Sans trafic, il faut trois heures pour rejoindre l'hôpital psychiatrique.

Sylvain, avant l'Afrique, n'oubliait jamais son anniversaire. Même à l'étranger, même s'ils étaient brouillés, ce qui arrivait souvent, même quand il s'est engagé dans les chasseurs – il avait laissé un mot, il appelait tard le soir d'une lointaine capitale, il faisait livrer un cadeau dont personne d'autre n'aurait eu l'idée. Ces gestes ne traduisaient ni sentiments particuliers, ni affection filiale. Ils ne voulaient pas dire non plus que la hache de guerre était enterrée. Ils étaient sa façon d'exprimer sa condition de fils et le fait qu'il l'acceptait, quelles que soient ses réserves et quoi qu'il puisse lui en coûter.

Chez Sylvain, Pierre avait d'abord aimé la fragilité. C'étaient ses faiblesses qui le touchaient dans l'enfance de son fils. Flo n'y croyait pas, mais elle avait tort :

« Tu aimeras toujours plus l'autre.

– Un : c'est faux. Deux : qu'est-ce qui te fait dire ça ?

– Éric est fort. Il n'a peur de rien. C'est un vrai de vrai.

– Tu le penses ?

– Je le lis dans ton cœur.

– Dommage que tu lises aussi mal. Je t'aimais mieux quand tes yeux n'avaient pas la même couleur. »

Et les coups et les insultes recommençaient à tomber, jusqu'à ce que Flo se soit vidée du venin qui devait l'emporter. Il n'empêche, Flo se trompait : Pierre aimait la mélancolie de Sylvain autant que la force d'Éric. Il n'avait de préférence, sinon celle du moment, ni pour l'un ni pour l'autre. Ses deux fils n'étaient pas complémentaires, il ne voyait pas les choses ainsi ; c'est plutôt qu'ils répondaient, chacun à sa manière, à deux élans vitaux chez lui.

À Saint-Louis, quand un mendiant suppliait pour une aumône sur le marché, Pierre ne pouvait s'empêcher de penser aux parents du misérable. Le dénuement de l'homme avait beau être absolu, il n'était rien en comparaison de la souffrance de ceux qui l'avaient engendré. Qu'y avait-il de pire qu'imaginer son fils à la rue, la poitrine enfoncée, les jambes boiteuses, les mains transformées en moignons par la gangrène et les infections ? Quand il regardait Sylvain, à fleur de peau, prisonnier de ses colères, l'image de tous ces pauvres malheureux du Sénégal lui revenait. C'est plus tard, une fois Sylvain adolescent et plus autonome, que Pierre avait pris la mesure de son contresens : le besoin éperdu de protection venait des parents. C'est lui, avec son cœur sur la main de petit colon, sa compassion d'exilé, sa sentimentalité d'outre-mer, qui avait fait de son fils une chose fragile, un moineau qui n'osait s'aventurer dans la montagne que sous l'aile de son frère.

« Dans un kilomètre, grince la voix du GPS, prenez la sortie 17 en direction de Digne.

– Je t'ai dit d'éteindre cette merde. On a fait la route cent fois. »

Calixte obéit dans un sourire :

« On arrive. Ce serait une bonne idée de changer d'humeur. »

Quand il a recueilli Calixte il y a quarante ans, Pierre ne lui aurait jamais passé ce genre d'insolences. Et il n'aurait pas eu à se montrer indulgent, parce que l'orphelin était beaucoup trop dur avec lui-même pour se permettre le moindre écart. Aujourd'hui, les choses sont différentes. Éric est mort. Sylvain a perdu la tête. Les taquineries et la loyauté de Calixte sont tout ce qui lui reste. Il y a un an, Pierre pensait que c'était peu.

Il a changé d'avis : ce lien fait de dureté et de silence a résisté aux années. Est-ce qu'ils sont proches pour autant ? Ce qui est sûr, c'est que ni l'un ni l'autre ne fait confiance aux attachements de la famille, de l'amour, de l'amitié : ceux-là se défont comme des nœuds d'enfant dès que l'adversité montre les dents.

Calixte a remonté les vitres. La voiture s'engage dans la zone industrielle des Genêts. Quand Sylvain a été admis à l'hôpital, elle était encore en construction. Les hangars fermés et les rues désertes faisaient penser à un village témoin.

« Je crois que c'est là », dit Calixte en montrant un bâtiment d'une quinzaine de mètres de large, dont le rideau électrique est baissé. Pierre lit le nom de la société sur l'enseigne : TRANSPORTS NORSOL.

« Qu'est-ce qui est là ? demande-t-il, écœuré par sa naïveté de faux amnésique.

– La zone de fret pour le cargo de l'armée de terre. Ils se sont installés à portée de tir de Cran Gevrier. Le 27e bataillon fait rentrer les caisses sur le territoire. Un camion vient les chercher à la caserne et les transporte ici. Ensuite, l'or est expédié à Paris, dans les coffres du Trésor, ou déposé sur des comptes appartenant à des officines du ministère de la Défense. Quand les chasseurs ne sont pas déployés là-bas, d'autres unités prennent le relais.

– Gare-toi. »

Calixte continue sur trois cents mètres avant de tourner à droite. Il coupe le contact devant un magasin de déstockage, fermé lui aussi. Il y a deux utilitaires blancs garés sur le parking.

« Il faut être prudent, dit-il. Ils surveillent vingt-quatre heures sur vingt-quatre.

– L'or ? s'exclame Pierre. Tu te sens bien ? »

Calixte :

« Ça vous rappelle des souvenirs ?

– Je n'aime pas ce ton.

– Peu importe le ton. C'est l'histoire qui compte.

– Qu'est-ce qui te dit qu'elle m'intéresse ?

– Sylvain. Et Éric. »

Il s'interrompt. Un type en bleu de travail vient de sortir d'une des deux fourgonnettes et marche dans leur direction, sa caisse d'outils à la main. Il leur fait signe de baisser la vitre.

« Vous avez du feu ? »

Il a une trentaine d'années, les cheveux courts, les épaules trapues, des yeux pâles en trou de serrure. Calixte enfonce l'allume-cigare. Ils se regardent en silence pendant que l'appareil chauffe.

« Belle journée, non ? »

Calixte hoche la tête. L'autre se penche pour allumer sa cigarette. Il mime un salut militaire pour remercier et remonte dans son véhicule.

Calixte reprend, d'une voix plus basse :

« Je ne sais pas lequel des deux s'est mis sur le coup le premier. Sylvain ne m'a pas dit s'il était entré chez les chasseurs parce qu'il savait quelque chose. Et il ne m'a pas dit non plus si Éric et lui cherchaient ensemble. »

Son garçon, au courant du système ? Ses deux garçons ? Pierre ne s'en serait jamais douté. La fierté n'est égalée dans son cœur que par l'angoisse d'avoir été découvert.

« En somme, il ne t'a rien dit.

– Quand leur section était en Mauritanie, il est arrivé quelque chose à Éric. Avant la fusillade. Sylvain a compris qu'ils couraient après le même gibier.

– Quelque chose, quelque chose ! Ça ne te dérange pas d'être plus précis ? Tu parles de mes fils, nom de

Dieu ! Et pourquoi n'as-tu rien dit quand ils ont mis Sylvain chez les fous ?

– Il n'était pas censé en parler à quiconque. Son audition a été classée secret défense. Ils ont compris qu'il en savait trop et ont décidé de ne pas prendre de risque.

– On n'enferme pas les gens comme ça.

– Le système est encore en place. Ici, derrière les murs d'un entrepôt, dans cette zone industrielle. À Cran Gevrier. En Afrique. Les enjeux sont trop grands, vous savez de quoi je parle. Mais l'histoire n'est pas finie.

– Sylvain ?

– Et peut-être Éric », dit Calixte en redémarrant.

Ils sortent de la zone industrielle. La campagne s'étale à nouveau devant eux. Mais comment ne pas regarder en arrière ? Pierre a été élevé pour ça : protéger l'héritage de son père, le legs colonial du préfet, qui n'était autre qu'un des nombreux maillons de la chaîne françafricaine. Joseph Lazar ne lui avait pas laissé le choix ; on ne disait pas non à cet homme-là. À treize ans, Pierre n'ignorait rien des « importations ». Il connaissait l'emplacement de la mine d'or, à huit kilomètres de la résidence d'été, non loin des rives du lac de Kaédi ; la fréquence des chargements et le nombre des camions ; l'itinéraire de piste qu'ils suivaient jusqu'au port de Saint-Louis, et qui allait devenir une route nationale.

Tout avait commencé lors d'une visite des hauts fonctionnaires de l'outre-mer, quand la colonie de l'AOF était devenue le territoire du Sénégal.

« C'est la clé », martelait son père à ces hommes en complet gris foncé qu'il recevait, deux ou trois fois par an, dans son bureau de la préfecture. Ils arrivaient de Dakar, suaient toute l'eau de leur corps, repartaient en métropole avec le palu ou la fièvre jaune. Les murs de la maison n'étaient pas insonorisés et Pierre faisait ses devoirs dans la pièce voisine. On faisait moins attention à lui qu'aux moustiques.

« Il me faut cet axe. Les cargaisons deviennent trop importantes, mes hommes mettent trois fois plus de temps qu'ils ne devraient pour faire le trajet. Avec le gisement de Tétiane, si les premières prospections se confirment, ils ne pourront plus tenir le rythme. Paris veut son or ? Il n'y en a plus en Guyane ? Alors donnez-moi les moyens de l'acheminer au port dans de bonnes conditions. »

Pierre n'entendait pas les réponses des hommes de la métropole. Il les imaginait se concerter, à voix basse, sous l'œil de son père.

« Et pensez à l'avenir. D'ici quinze ans, nous aurons plié bagage. La nationale nous permettra de maintenir une profondeur stratégique au Sahel : au départ de Dakar ou de Saint-Louis, nos blindés pourront se déployer à Kayes en une journée. Ce ne sera pas superflu en cas de crise. »

La voix du préfet répandait un air d'autorité, d'inéluctable. Mais qu'entendait-il par « plier bagage » ? La brutalité de ces deux mots, prononcés comme une évidence, inquiétait Pierre.

« Tu écoutais, fils. »

Ce jour-là, le préfet avait raccompagné ses invités sur le perron, puis il était remonté le voir dans son étude.

« Père… Je ne veux pas rentrer en France. Mon pays est ici. Je n'aime pas Paris. Il n'y a pas de lumière et les gens sont tristes.

— Tu confonds la terre et le pays, avait dit le préfet en s'asseyant à côté de lui.

— C'est la même chose.

— Tu es né ici. Pour l'instant, c'est la France. Tu sais pourquoi ?

— Parce que nous avons conquis l'Afrique de l'Ouest et gagné le droit de l'administrer. »

Mais le droit n'avait rien à voir là-dedans. La vérité, c'est que les Français étaient les plus forts, et que ça n'allait pas durer. Les Noirs étaient de plus en plus nombreux. Ils voulaient le pouvoir, eux aussi, le pouvoir économique et politique : c'était naturel, même si le préfet ne disait pas que c'était légitime. Ils étaient en train de s'organiser. Et, pendant qu'ils s'organisaient, le gouvernement de métropole se ramollissait. Les dirigeants parlaient de développement, de coopération. Ils n'avaient plus que les *droits de l'Homme* à la bouche. Quand les Blancs étaient arrivés ici, les Noirs ne savaient pas qu'ils avaient des droits. Depuis un siècle, la métropole payait des gens comme le père de Pierre pour que les Noirs ne s'imaginent pas être des hommes, en tout cas pas des hommes comme les Blancs. Ce n'était pas un travail facile. Il fallait être dur, ne pas se laisser émouvoir. Le préfet ne pouvait plus faire ce qu'on lui demandait si des politiciens à Paris se mettaient à parler de justice et d'égalité. La France n'avait pas colonisé ce peuple et sa terre pour être juste. Il n'avait jamais été question que les Noirs soient des égaux. S'ils le devenaient, ce serait la fin de l'empire. Cette fin, à écouter le préfet, était proche. Il y avait trop de sentimentalisme dans l'air.

Pierre regardait sa carte de l'AOF :

« Si j'étais noir, je me battrais pour l'indépendance de ma terre.

— Bien sûr, fils. Mais tu es blanc. Ton pays, c'est la France. Si cette terre n'est plus française, parce qu'on a décidé que c'était juste, tu n'as plus rien à y faire. Un jour ou l'autre, il faudra rentrer. J'espère que ce sera le plus tard possible. Hélas –

– Je partirai. Je ne rentrerai pas.

– Tu es têtu, avait dit le préfet. C'est une qualité chez les hommes lucides. Chez les autres, c'est la preuve qu'ils sont idiots. »

Quelques mois plus tard, à la résidence d'été, son père avait tiré Pierre d'un rêve dans lequel il marchait sur une montagne française. Les pentes étaient couvertes de sable.

« Elle est à toi », avait dit le préfet en soulevant le voile de la moustiquaire pour laisser passer la fille du dresseur. La peur irradiait de son corps. La blancheur de sa robe dessinait un halo dans la nuit noire et épaisse. On devinait la forme de ses seins sous le tissu. Il n'y avait pas un bruit dans la maison, excepté l'aiguille de l'horloge qui avançait comme une créature souterraine.

La fille se tenait devant lui. Il était impossible de la regarder.

« Qu'est-ce que tu attends, fils ? Fais ce que font les hommes.

– Je ne veux pas.

– Qu'est-ce que tu dis ? »

Son père s'était approché du lit, sans un regard pour la fille.

« Je ne veux pas, Père. »

La gifle, il ne l'avait pas sentie. C'est le contact du métal qui lui avait fait mal. Son père était sorti de la chambre. La fille l'avait suivi en silence – un spectre. Une fois le sang séché, il s'était rappelé que le préfet l'avait frappé de la main droite. Mais c'était impossible : comment son alliance avait-elle pu lui ouvrir la pommette, alors que son père la portait à la main gauche ?

Le lendemain matin, celui-ci était assis à table, plongé dans la lecture d'un rapport, quand Pierre était descendu prendre le petit déjeuner. Le préfet tenait sa tasse de café de la main gauche, comme d'habitude. L'autre main était posée sur son genou.

« Père.

— Bien dormi, fils ? »

Le préfet avait joint les mains sous le menton. À la main droite, il portait un anneau en or que Pierre ne connaissait pas.

« J'ai eu tort de te frapper hier soir. Ça n'arrivera plus, je te le promets. »

Il s'était resservi du café.

« Toi aussi, tu dois me faire une promesse. J'ai besoin de savoir que je peux compter sur mon fils. Est-ce que tu continueras ce que j'ai commencé ? »

Il buvait à petites gorgées, entrecoupées d'une bouchée de pain. Il faisait tomber de l'index les miettes accrochées aux coins de ses lèvres.

« Après moi. Pour ta famille et ton pays. J'ai besoin de savoir que tu agiras comme un homme.

— Vous pensez que je n'en suis pas un.

— Tu es encore un enfant et je n'aurais pas dû lever la main sur toi. Mais tu dois décider qui tu veux devenir : un homme qui protège ce qui est à lui, malgré le prix à payer, ou un de ces lâches qui aiment mieux donner et rendre, pour être tranquilles avec leur conscience et dormir sur leurs deux oreilles.

— Nous devrons partir un jour : c'est vous qui me l'avez dit. Il faudra bien laisser ce qui est à nous.

— En apparence. »

Il avait posé sa tasse et caressait l'anneau inconnu.

« En apparence ? avait répété Pierre.

— Tu as toujours su garder les secrets.

– Oui.

– Je vais te montrer quelque chose. »

Ils avaient sorti la Méhari du garage. Diop accourait au moment où ils passaient le portail. Pierre s'était retourné. La silhouette de l'intendant avait disparu dans un nuage de sable.

Le gendarme à l'entrée de la mine avait l'air surpris par la présence de Pierre.

« Il n'y en aura pas pour longtemps », avait dit son père.

Dans le tunnel, il faisait frais. Ils avaient suivi les rails jusqu'à une fourche et emprunté la galerie la plus étroite. La pente, douce au début, s'accentuait. Des lampes suspendues tous les dix mètres éclairaient le chemin. Le bruit des outils contre la roche se rapprochait à chacun de leurs pas. Pierre avait beau marcher derrière, il ne pouvait pas se couvrir les oreilles, au cas où son père se serait retourné. Il n'était plus question de le décevoir.

La galerie, après un coude, s'élargissait ; elle ouvrait sur une carrière dans laquelle une vingtaine de Noirs étaient au travail. Son père s'était dirigé vers un homme dont le chariot était rempli de pierres de différentes tailles.

« Voilà ce qui est à nous. Dans dix ou quinze ans, c'est écrit, nous leur rendrons la surface de leur terre. Les bons samaritains de Paris ne nous laisseront pas le choix. Ils nous prendront les maisons, les propriétés. Mais pas le sous-sol. Moi vivant, ils ne toucheront pas à un gramme de cet or. »

Il devait crier pour se faire entendre par-dessus les coups de pioche. Si le mineur l'écoutait, son visage ne trahissait rien.

« Tiens-moi ça, fils. »

Il lui avait fourré un morceau de roche dans la main. À l'aide d'un marteau et d'un burin, il avait commencé à tailler la pierre, dont la partie extérieure se laissait déloger comme une peau d'orange en faisant apparaître un métal brillant.

« Vingt-quatre carats. Il y en a des tonnes et des tonnes. Tu seras un vieil homme quand ce gisement s'épuisera. Tes enfants et leurs enfants ne manqueront jamais de rien. Est-ce que tu es prêt à défendre ce qui est à nous ? »

Une chaleur noire se dégageait de l'or.

« Oui, Père.

– Garde-le en souvenir, avait dit le préfet, en posant la main sur son épaule pour qu'il rebrousse chemin. Il y en aura beaucoup d'autres.

– Paris ne vous laissera pas faire.

– Tu as raison. Voilà pourquoi Paris ne doit pas savoir. Du moins, ceux qui à Paris veulent que les choses changent et que la France quitte l'Afrique.

– Mais les gendarmes ? Les transporteurs ? Et une fois que l'or arrive en métropole ?

– Ils sont avec nous, fils. Tu crois que je suis le seul préfet de l'AOF à refuser de rendre ce que j'ai mis toute ma vie à bâtir ?

– Et eux ? avait objecté Pierre en montrant les Noirs courbés sur la roche. L'or sort de la pierre grâce à leur travail. »

Le préfet s'était accroupi devant lui. Leurs visages se touchaient presque. Il avait dit d'une voix douce :

« C'est le choix que tu dois faire. Moi, j'ai choisi il y a longtemps, et je ne peux pas choisir à ta place. »

L'ampoule de la lampe se reflétait dans ses yeux.

« Qui a décidé de creuser ce sol ? Qui a ouvert cette mine ? Regarde-les. Rien ne les en empêchait avant l'arrivée des Blancs. Ils n'ont aucun esprit d'initiative.

– Ils l'auraient peut-être fait plus tard.

« – C'est ainsi que pensent les faibles, les femmes et les curés. *Et si ?* Les hommes ne connaissent pas ces mots. Je ne me sens pas coupable de ce que j'ai sous prétexte que les Noirs ne l'ont pas. Si tu veux être heureux, je te conseille d'oublier les spéculations inutiles. Elles ne changent rien à la réalité. »

Le problème, c'est que Pierre avait en lui cette mollesse, qui dans la bouche de son père ressemblait à une maladie incurable. Il y avait l'éducation de sa mère. Il y avait les livres. Surtout, il y avait l'amitié entre lui et les Noirs de son âge, à Saint-Louis comme à la résidence. Comment pouvait-il poursuivre l'œuvre clandestine du préfet sans trahir ses amis, auprès de qui il était plus lui-même qu'avec les fils de Blancs prisonniers de leur uniforme beige et de leurs *Je vous salue Marie* ?

Si la malaria n'avait pas emporté son petit frère, le préfet aurait eu un autre héritier et Pierre aurait pu vivre libre. Fils unique, il n'avait pas le choix. Mais il était certain que leur famille ne resterait pas impunie.

Il y avait d'abord eu l'épidémie qui avait décimé le bétail, les bêtes de la ferme et celles que son père avait capturées dans le désert. Pierre avait surpris un échange entre les gendarmes qui revenaient de l'expédition :

« Ces bêtes étaient à la petite fille. On n'aurait pas dû.

– C'est le patron qui voulait les bêtes. Nous, on a fait ce qu'il ordonnait.

– Qu'est-ce qu'elle va devenir ?

– Elle est mieux là où elle se trouve qu'ici à la résidence. Tu sais pourquoi. »

Car il n'y avait pas que l'or. Tout ce que le préfet désirait, il le prenait au nom de la République. Personne n'osait lui résister. Les rares élans de rébellion étaient matés par le fouet. Le préfet trouvait toujours le moyen d'envelopper ses intérêts personnels dans les nobles habits de la loi : plus d'un voleur de poule, à la seconde où la balle fusait en sifflant hors du canon, avait dû se demander ce qu'il avait fait pour mériter le châtiment. Les remords de Pierre face à cette domination brutale étaient inévitables, puisqu'elle avait pour but de préserver le bien-être de sa famille ; et sa culpabilité était plus grande encore à l'idée de devenir comme son père.

Puis Oumar était arrivé. Pierre s'ennuyait, il avait lu tous les livres de la bibliothèque, exploré toutes les cartes. La vue et l'odeur des carcasses sur la rive le déprimaient. Le retour prochain de son père à la résidence l'angoissait. Oumar, avec son mystère et sa brusquerie, apportait la promesse d'un été moins vide, échappant au sinistre du huis clos familial.

Le soir de leur excursion devant la mine, alors que les deux coups de feu résonnaient encore dans la tête de Pierre et qu'il se morfondait à l'idée d'avoir perdu son seul ami, le préfet était entré dans sa chambre. Il avait retiré l'anneau à sa main droite et le lui avait donné.

« Pour les Noirs, les objets des morts ont un pouvoir surnaturel. Ils cherchent à retrouver leur propriétaire et ne sont pas soumis aux lois physiques de ce monde. »

L'anneau était chaud, comme la pépite au fond de la mine.

« Son propriétaire, c'est vous qui l'avez tué ?

– Il a été exécuté. Je représente l'État, fils, et j'exécute sa loi.

– Quel était son crime ?

– C'était un voleur, comme tous les autres. »

Comme eux.

« Je te le donne. Si tu le mets, je saurai que tu as choisi ton camp.

– Oui, Père. »

Pierre avait glissé l'anneau à son doigt. Ce qui s'était passé ensuite, jusqu'à ce qu'il reprenne conscience sur son lit, où le préfet avait dû le porter, il n'en avait aucun souvenir. La sensation de chaleur et un épuisement de long voyage, c'était tout ce qui restait. Le préfet tenait l'anneau dans le creux de sa main.

« Tu es un homme, fils. Il est à toi. Mais tu sais maintenant qu'il ne faut pas le porter. »

Il avait posé l'anneau sur le secrétaire avant de sortir. Chaque fois que Pierre s'était réveillé cette nuit-là, il aurait juré que le métal l'appelait dans l'obscurité.

Le lendemain matin, il savait ce qu'il avait à faire. Un jour cruel éclairait la nécessité de son plan. Oumar était à la ferme et ne rentrerait pas avant la tombée de la nuit. Pierre avait tout le temps de donner à ses raisons la dureté d'un axiome : comme il ne pouvait être la brute qui prend, ni le lâche qui donne ou qui rend, il lui fallait être les deux.

Après avoir offert l'anneau à Oumar, il était allé trouver le préfet dans la bibliothèque. La clarté qui l'habitait jusque-là avait disparu. Deux envies contraires écartelaient son esprit : dénoncer son ami ou dire la vérité avait jeté l'anneau dans le fleuve. Être le bon fils ou vivre sans fardeau. Pierre aurait voulu anéantir l'un et l'autre de ces élans en s'accrochant à sa résolution, mais elle ne lui était plus d'aucun secours dans la nuit moite.

Au moment où son père avait levé les yeux, il était trop tard. Le visage de Pierre révélait tout ce qu'il ne voulait pas dire.

« Tu ne dors pas, fils ?

– J'ai trop chaud. Je suis sorti dans le jardin pour prendre l'air.

– Où as-tu rangé l'anneau ? Tu ne dois pas le laisser traîner. Les domestiques pourraient être tentés. »

Pierre regardait les livres alignés sur l'étagère au-dessus de la tête de son père. L'enfance sortait de son corps et ce départ inopiné lui donnait envie de pleurer.

« Il te l'a pris, n'est-ce pas ?

– Non, Père.

– À quoi bon le protéger ? Tu sais qu'on retrouvera l'anneau sur lui.

– Il n'y est pour rien. C'est moi qui –

– Ne t'accuse pas ! Il est responsable de ses actes.

– Vous ne comprenez pas.

– Plus un mot. Viens avec moi. »

Pierre l'avait suivi jusqu'au bâtiment des domestiques, comme un petit chien. Il aurait fallu dire tout de suite : « J'ai donné l'anneau à Oumar. » À présent, ces paroles ne servaient plus à rien. Son père les aurait prises pour l'expression de sa mauvaise conscience. Mais pourquoi ne les avait-il pas prononcées en entrant dans la bibliothèque, avant que son père lise sur lui ce qu'il voulait lire ? La honte ouvrait un trou noir au fond de lui. Il n'avait plus d'os. La charpente de son univers s'effondrait. Le préfet avait raison : il était devenu un homme. Sale, menteur et veule – comme tous les autres.

« Pierre ? »

Le frottement des pneus sur le gravier. L'odeur des rhododendrons. La façade claire, en pierre de taille. La poigne de Calixte sur le frein à main. Ils sont arrivés devant l'hôpital.

« Je ne vous accompagne pas, alors ?

– Reviens plus tard, ordonne Pierre en descendant.

– Je ne bouge pas. Je serai là si vous sortez plus tôt. »

L'air frais ne lui fait pas de bien. C'est logique, quand on est soi-même l'objet de sa nausée.

« Bienvenue, monsieur Lazar. »

Comme d'habitude, le directeur de l'hôpital attend sur le perron et le fait entrer. Leurs pas claquent sur le carrelage à damiers. Ils traversent le vestibule et s'engagent dans le couloir qui mène aux chambres. Tout ce marbre, pour des fous.

Le directeur dit que Sylvain va mieux. « Il fait des progrès », c'est son maître mot. Pierre connaît par cœur le laïus et n'écoute pas. Après la disparition d'Oumar, personne ne lui a expliqué ce qui s'était passé cette nuit-là. Le préfet n'en parlait pas. Il était hors de question de soulever le sujet avec lui. Des rumeurs circulaient parmi les domestiques. Diop avait même dit :

« Le patron est redescendu seul. Je n'ai pas vu le corps. C'est magie noire ! Le petit servait de déguisement à un djinn. »

Oumar avait beau s'être volatilisé, son esprit n'est jamais revenu hanter la famille Lazar. Pierre a appris à vivre avec les conséquences de son silence. Il s'est habitué à la honte et au dégoût de soi. Un jour, il les a reconnus en lui comme il reconnaissait son visage dans le miroir ; il était devenu adulte.

Le préfet est mort à Dakar, dans la nuit du 4 au 5 avril 1960 – une pneumonie qui avait dégénéré. On n'a jamais su s'il avait appris la proclamation de l'indépendance avant de sombrer dans le coma. La veille, dans la matinée, un incident étrange s'était produit. Pierre avait dû s'absenter pour signer des formulaires de douane. Les docteurs croyaient l'infection pulmonaire sous contrôle. Mais, à son retour, l'état du préfet avait empiré sans raison. Selon une infirmière, il avait été pris d'une quinte de toux après la visite d'un ancien domestique. On avait consulté le registre : l'homme avait signé « Namori ». Pensant qu'il pouvait être lié à Oumar, Pierre l'avait fait rechercher dans tout Dakar. Il était introuvable et on avait fini par abandonner. Oumar avait disparu, le préfet était mort : il n'y avait pas lieu de retourner sans fin la terre noire du passé.

Pierre a ramené le corps en France et s'y est installé, dans cette capitale blême et triste qu'il haïssait enfant. Puis, à la montagne, il a retrouvé le ciel immense et sans pitié, le soleil blanc du désert. Pendant plus de quarante ans, il a continué à être le bon fils. Il a poursuivi l'œuvre du préfet, assuré sa pérennité en dénichant de nouveaux gisements quand les anciens s'épuisaient, recruté les orpailleurs venus de Guyane et d'Australie, entretenu les contacts avec l'armée de terre et le ministère de la Défense. Il a soudoyé les douaniers et les compagnies de fret, sans jamais un état d'âme. Son génie, il l'a compris en découvrant l'annonce de la vente du domaine à la bougie, c'est d'avoir recyclé l'or du Sahel dans le bois. Nul ne fera jamais le lien entre sa fortune et le pillage en règle des anciennes colonies. Isola 2000, la scierie. Il a débarqué d'Afrique comme un rapatrié anonyme, un héritier, et il s'est fait un nom qui n'appartient qu'à lui. Il est devenu le Forestier, seigneur de Maleterre. Du moins, il l'a cru. Il a cédé à l'illusion que tout pouvait recommencer et qu'il y aurait une seconde innocence.

« Passez me voir en repartant, monsieur Lazar. »

Le directeur de l'hôpital s'efface à l'entrée de la chambre. Sylvain attend, assis au bureau qu'on lui a fait livrer au début de son internement.

La pièce sent la nuit et les mauvais rêves. Les rideaux n'ont pas été ouverts depuis des semaines. Sylvain a la tête baissée, les sourcils froncés, comme quand il écrivait ses rédactions sur la table de la cuisine. Il a maigri. Pierre pose la main sur son épaule. Le temps comme un fauve déchire la chair tendre de l'enfance.

Non, c'est faux. Le temps n'existe pas. C'est la folie des hommes, qui courent comme des aveugles au bord de la falaise. Ce petit garçon ne savait pas courir. Il tombait et se faisait mal. Il se relevait en se mordant les lèvres, sous l'œil sévère de son père. Le Forestier ou le préfet – quelle différence ? Les monstres ont toujours le même regard vide. Sylvain voulait faire plaisir, ne pas décevoir. À dix ans, il fallait encore lui nouer ses lacets, remonter la fermeture Éclair de son blouson. La frustration paternelle l'avait déjà ravagé ; il attendait l'ombre de son frère pour disparaître et revenir dans la peau d'un monstre, à son tour. Il ne restait plus rien de l'homme qu'il serait devenu si on l'avait laissé grandir tout seul.

MDNFA

2006

La pelle heurte quelque chose de dur. Sylvain s'agenouille et plante ses doigts dans la terre. L'objet est un cylindre d'une dizaine de centimètres de diamètre. Il fait une chaleur si lourde qu'elle s'infiltre comme de l'eau de pluie dans le sous-sol.

« Qu'est-ce que tu fous ? demande Moreau, un adjudant de Haute-Savoie qui a la particularité de poser trop de questions et d'être un peu trop docile pour être honnête. Son zèle est au service d'un maître : Ferrand.

– T'occupe.

– Et si c'était une mine ? » insiste Moreau de sa voix grêle.

D'après les rapports du renseignement militaire, les IED ne font pas partie de l'arsenal des rebelles.

« Ce n'est pas un explosif. On serait déjà morts. »

Moreau hausse les épaules et s'éloigne en allumant une cigarette, au milieu des hommes qui dressent les tentes. D'ici à ce soir, si le vent du désert ne se lève pas, le cantonnement sera opérationnel. Éric est debout dans le trou du relais-satellite. Il creuse sans s'arrêter, repoussant ceux qui viennent lui proposer de l'aide.

« Ne compte sur personne là-bas, a dit le Forestier, dans un rare moment de lucidité. Ce sont des bras cassés, tout chasseurs alpins qu'ils sont. Sauf Éric. Il sait ce qu'il fait. Peu importe ce qui s'est passé entre vous. Repose-toi sur lui si tu en as besoin. »

La boîte en métal tient dans la main de Sylvain – une conserve comme toutes les autres, encore fermée, sans étiquette. Il faut souffler sur le couvercle et gratter pour enlever le sable qui s'est incrusté entre les rainures. La date de péremption apparaît en relief :

10/2/1953

Dessous, cinq lettres :

MDNFA

Sylvain a soif ; il n'y a plus d'eau dans sa gourde. La vallée s'étend à perte de vue, vers le nord-est, où elle devient plus aride à chaque kilomètre, jusqu'à ce que le désert soit là. Ce paysage n'est qu'un horizon : il y a de quoi devenir fou, disait le Forestier quand il parlait des lieux de son enfance.

Au Bunker, la bibliothèque contient un rayon réservé aux archives coloniales de son grand-père, le préfet de Saint-Louis. Des cartes de l'AOF, des livres, des factures, des actes notariés – et beaucoup de documents officiels, certains avec l'en-tête du secrétariat d'État à l'Outre-mer, d'autres avec celui du ministère de la Défense nationale et des forces armées. Sur ces derniers, on lit toujours la même référence en bas de page :

MDNFA/999

Sylvain s'est souvent demandé ce que signifiaient ces trois chiffres. Les papiers eux-mêmes ne donnaient aucune indication et se résumaient à des colonnes de dates. Il connaissait par cœur la première page d'un formulaire de 1955 :

2 juin – une caisse seule

19 juin – deux caisses
5 juillet – trois caisses doubles
18 juillet – quatre caisses
1er août – deux caisses doubles

Quelqu'un, peut-être son grand-père, avait entouré la première ligne et gribouillé des annotations dans la marge. La liste se poursuivait sur deux autres pages, agrémentée de formules contractuelles – « bon pour accord », « pour solde de tout compte » – et de séries de chiffres qui ressemblaient à des coordonnées.

Le métal s'est réchauffé à l'air libre. Sylvain passe le doigt sur la date de péremption et sur les cinq lettres, puis il range la conserve dans son sac à dos.

« Alors ? » demande Moreau. L'odeur de la cigarette imprègne son T-shirt.

« Un simple bout de ferraille, mon vieux. Comme tu peux le constater : je suis encore en un seul morceau.

– N'empêche, la prochaine fois, fais-moi plaisir et suis les règles. J'ai une famille, moi. »

Le soleil dégringole sur les dunes de l'Ouest, noyant le ciel dans une lumière orange. Les sentinelles ont pris leur quart pour la soirée. On finit de décharger les camions. Sous la tente du commandement, Ferrand discute à voix basse avec son aide de camp.

« Mon lieutenant, dit Sylvain. Vous vouliez me voir ?

– Asseyez-vous.

– Si je m'assieds, je ne me relève pas.

– Comment ça se passe, Lazar ?

– Je m'habitue, dit Sylvain. Et vous ?

– Moi aussi. Tout va bien, alors ?

– Vous avez des doutes, mon lieutenant ?

– Je me préoccupe de mes hommes. C'est mon travail.

– Pas de quoi vous en faire, en ce qui me concerne.

– Donc il n'y aura pas de problème.

– Quel genre de problèmes, mon lieutenant ?

– Avec les autres. Des bagarres, par exemple.

– Je me battrai contre l'ennemi.

– Et les civils ?

– Nous sommes ici pour les protéger, non ? »

Le radio arrive avec une communication.

« Ce sera tout, dit Ferrand.

– Mon lieutenant ?

– Accouchez, Lazar. Le commandement régional attend mon rapport.

– Il y a déjà eu une garnison ici ?

– Qu'est-ce qui vous fait dire ça ?

– Je me suis un peu documenté sur les fortins de l'AOF. Est-ce qu'il y en avait un dans le coin ?

– Je n'en sais rien et l'honnêteté m'oblige à vous dire que je m'en fous. Si vous voulez bien m'excuser. »

Il fait nuit et le camp est silencieux. Les hommes écoutent, aux aguets. Certains font leur prière. D'autres, les yeux fermés, parlent à une femme, un père, un enfant. Il y en a qui jouent aux cartes, muets, sans intérêt pour le jeu, parce qu'ils ne veulent pas entendre le bruit de leurs propres pensées. De quel côté attaquera l'ennemi ? La guerre ne prévient pas. Elle a toujours été là, comme le désert. L'obscurité est son camouflage. Même si les chasseurs ne peuvent pas la voir, même si elle n'existe pas encore pour eux, leur sommeil a le son creux des mauvais rêves.

« Qui va là ? dit la sentinelle du côté du lac.

– Lazar. Je vais faire un tour au bord de l'eau.

– Ton frère a eu la même idée que toi. Remontez vite. Si le lieutenant vient faire sa ronde, je vais prendre cher. »

Le lac brille sous le clair de lune. Sur les photos satellite, il ressemble à un drôle d'animal marin qu'on aurait amputé de sa bouche. Le fleuve Sénégal et la frontière, tout proches, épousent le dessin de la rive sud-ouest. De l'autre côté, il est longé par une route secondaire qui rejoint la N3 mauritanienne à une centaine de kilomètres au nord. Sylvain descend la colline. Chacun de ces pas est comme l'écho d'une des cinq lettres qui l'ont attiré ici : M-D-N-F-A-M-D-N-F-A-M-D-N-F-A-M-D-N-F-A. Étrange mélodie. Une caisse seule. Deux caisses. Trois caisses doubles. Quatre caisses. Deux caisses doubles. Combien de tonnes d'or sont parties de ce bled pour remplir le coffre-fort familial et renflouer le budget troué des armées ?

« L'eau est bonne, dit Éric, en train de remettre son pantalon.

– Il fait trop froid. Tu y comprends quelque chose, avec la température qu'il faisait tout à l'heure ?

– Regarde. »

Éric lui montre la surface noire et calme du lac, saupoudrée de milliers d'étoiles.

« Tu as déjà vu quelque chose de pareil ?

– Il n'y a pas un nuage.

– Et la chaleur ne peut pas rester. »

Les deux frères s'asseyent à mi-hauteur.

« C'est le contraire de chez nous, reprend Sylvain.

– C'est pareil, je trouve.

– La montagne te manque ?

– Pas la montagne », dit Éric.

Sylvain étire ses jambes devant lui. Du camp leur parvient le ronronnement des groupes électrogènes.

« Tu as raison. Il y a quelque chose de familier ici.

– J'ai sommeil. À quelle heure tu prends ton quart ?

– Je ne suis pas de garde cette nuit. Toi ?

– Dans deux heures.

– Va dormir.

– J'ai sommeil, mais je ne peux pas dormir. »

La respiration d'Éric est lente et profonde, comme celle des grands animaux en hiver. Avant Audrey, quand ils avaient quatorze ou quinze ans, il leur arrivait de camper dans l'ancienne maison de Calixte, au pied du Pignals. Éric s'endormait toujours le premier. Sylvain regardait son thorax se soulever au rythme de sa respiration. Il se sentait en sécurité.

« Tu te rappelles le scorpion ?

– Bien sûr.

– Montre-moi Sirius.

– Là, dit Éric. Depuis le temps.

– Orion. »

Quand ils étaient enfants, il n'y avait pas mieux que l'attente, jusqu'à ce qu'Éric ait trouvé l'étoile. Sylvain retenait son souffle. Éric fouillait le ciel avec patience.

« Là. À côté du satellite. Tu connais le morse ? On dirait qu'il a quelque chose à nous dire.

– Où est le scorpion ?

– Je ne sais pas. Il y a trop d'étoiles, ici. Trop de clarté. Le scorpion n'aime pas ça. Il fuit la lumière et pique quand il est sûr qu'on ne l'a pas vu venir.

– Il est là », dit Sylvain en montrant un des points les moins lumineux sur le lac. Le regard d'Éric suit l'axe de son doigt, reste un moment sur l'eau, puis s'élève vers le ciel.

« Les sales bestioles, ce n'est pas ce qui manque par ici.

– Tu penses que les rebelles vont nous tomber dessus ? »

Éric secoue la tête. Le clignotement du satellite disparaît dans le noir. C'était peut-être une étoile.

« Je n'aime pas l'air malsain qu'on respire. Je ne veux pas que ma fille grandisse sans moi. Tu comprends ? »

Ils se lèvent. Au sommet de la colline, Sylvain se retourne en direction du lac. Le reflet du scorpion a disparu.

« Pas trop tôt », peste la sentinelle.

Un camion qui ne faisait pas partie de leur convoi est garé devant la tente du commandement.

« Ils ont dit qu'on allait recevoir des munitions en plus », observe Éric sans s'arrêter.

Sylvain jette un œil à l'arrière, où sont empilées six caisses NORSOL, abritées sous une bâche.

« On décharge ici ? demande le chauffeur à la cantonade.

– Portez-les sous ma tente », répond la voix grêle de Moreau.

Deux mois et toujours rien. Les mêmes manœuvres, un jour sur trois, selon l'unité à laquelle on appartient. L'exercice d'évacuation une fois par semaine. Les patrouilles sous le soleil brûlant, sur des terrains qui se ressemblent tous. La lenteur des jours. Les consignes de vigilance de Ferrand, au départ de chaque expédition, toujours les mêmes : « Ce n'est pas parce que ça n'est pas arrivé que ça ne va pas arriver, attention les hommes. » Les chewing-gums mâchés jusqu'au dernier atome de sucre. Les chansons dans la tête, pour ne pas devenir fou à cause du murmure de la vallée, qui ne dit pas s'il faut attendre ou se préparer. Le ciel posé là comme une toile dont on ne voit pas le bout, reflet de tout le temps perdu. L'odeur du sel comme une peau étrangère. Les corps amaigris, les muscles ankylosés.

Le cœur calciné, rétréci, lui qui aurait dû s'embraser dans l'adrénaline du combat promis.

Sur le visage des hommes, l'ennui a remplacé la peur. Au camp, ils s'inventent des routines destinées à créer l'illusion d'un ordre. L'absence de la guerre leur a retiré l'avant et l'après. Il n'y a plus que la durée, incassable et lisse comme un caillou. Ils répètent. Ils patientent. Ils ne se rappellent pas pourquoi ils sont ici. Au téléphone avec la France, il leur arrive de reprendre vie – d'éprouver autre chose que l'immobilité du temps. Les nouvelles sont presque toujours bonnes : une naissance, un anniversaire, une promotion. Ceux qui en reçoivent de mauvaises ne s'épanchent pas. Ils sont deux, comme Sylvain, à ne jamais appeler : Abel et Steeve. Abel, un grand au crâne rasé, vient du Mercantour et ne dit jamais rien. Sylvain et lui pourraient parler du pays. Mais ici, ces petits riens n'existent pas. Il n'y a que le soleil et l'horizon désolé.

Le camion approche du kilomètre 10, au sud-ouest du lac. La patrouille a quitté le camp, direction la frontière sénégalaise. Sylvain conduit. Dans le rétroviseur, Moreau dort la bouche entrouverte. Les trois autres à l'arrière du camion doivent en faire autant – un peu de temps volé au vide et à la chaleur. Éric est de repos au cantonnement.

En surplomb d'un lacet, Sylvain reconnaît le maillot blanc de l'Allemagne et le chapeau de paille de l'albinos. Il s'arrête à la hauteur des deux garçons. Ils marchent pieds nus.

« Chef, dit le trafiquant de maillots.

– Où sont les autres ?

– On les a vendus, dit l'albinos. Trop cher, même.

– Ils sont rentrés en stop.

– Et vous ?

– Chasseur, tu as déjà essayé de monter à dix dans Deux-Chevaux ?

– Je vous emmène. C'est sur mon chemin. »

Ils montent avec lui dans la cabine, le footballeur allemand au milieu et l'albinos contre la portière du côté passager. Derrière, Moreau dort toujours, la tête renversée contre la bâche. Sa pomme d'Adam sort de sa gorge comme les aspérités que traquait Éric sur les parois d'Isola.

« Les pieds nus, dit Sylvain. Pourquoi ?

– Ça te pose un problème, chasseur ?

– Là d'où je viens, disons que ça peut être dangereux.

– Ici aussi.

– Donc ?

– Le monde n'est pas le même quand on ne porte pas de chaussures. Il est plus décidé quand il vient à toi. Donc, il faut faire plus attention.

– Avec tes grosses bottes qui te protègent de tout, tes pieds n'apprennent rien.

– Et qu'est-ce que les vôtres savent de plus que les miens, je te prie ?

– Tu es venu chercher quelque chose. Si tu marchais pieds nus sur le sable, tu saurais par exemple qu'il y a des endroits dans la vallée où le sable est plus frais que d'autres.

– Je cherche quelque chose ?

– Comme tous les hommes, chasseur. Façon de parler.

– Et pourquoi je m'intéresserais au sable froid ? C'est bizarre comme idée.

– Si le sable est froid, dit le vendeur de maillots, c'est qu'il y a un courant d'air. Et s'il y a courant d'air –

– Fais marcher ta tête, coupe l'autre. Elle donne l'impression d'être mieux faite que celle de tes camarades. »

216

Sylvain jette un coup d'œil dans le rétroviseur, puis au vendeur de maillots. À l'ombre, sa peau semble presque aussi claire que celle de l'albinos.

« Vous parlez comme des adultes. Qu'est-ce qui se passe, ici ?

– Des affaires très souterraines », dit le premier.

L'albinos laisse échapper le bruit que ces gamins ont l'habitude de faire, en pressant la langue contre les dents, pour marquer leur désapprobation ou leur dépit. Quand un acheteur du camp propose un prix trop bas, par exemple. Il met un point final à la comédie de la négociation.

Mais le vendeur n'a pas envie d'en rester là :

« Pourquoi tu es venu, chasseur ?

– Parce que je suis soldat. J'obéis aux ordres.

– Je parle de ton armée. »

Sylvain entonne le refrain qu'il a appris par cœur : il y a des rebelles dans la vallée. Les forces locales n'ont pas les moyens de leur faire face. La France a proposé son aide.

« Très généreux, commente le vendeur. Mais dis-moi : tu en as vu beaucoup, des rebelles ?

– Ça s'appelle la dissuasion. Ils ne se montrent plus depuis que le 27ᵉ s'est déployé dans la région.

– Tu es bien sûr de toi pour quelqu'un qui n'a rien vu.

– J'ai vu ce que les rebelles ont fait avant notre arrivée. Les pillages. Les viols. Les assassinats de ceux qui ne se laissaient pas embrigader.

– Je veux descendre », coupe l'albinos. Il a la main sur la poignée de la portière.

Devant eux, la piste se réduit à une voie. Les méandres boueux du fleuve ont un air sinistre. Il n'y a pas de véhicule dans l'autre sens. Ils traversent. Au bout du pont, un vieux panneau signale l'entrée au Sénégal.

« On est presque arrivés, dit Sylvain en appuyant sur l'accélérateur.

– Ces crimes, reprend le gamin à côté de lui, tu les as vus de tes yeux ? Tu as parlé aux victimes ? »

Sylvain a vu les photos prises par les ONG que Ferrand projetait à Cran Gevrier pendant les briefings. La cruauté de certains sévices était affolante. Il n'y avait pas de raison de mettre en doute l'authenticité de ces preuves.

« Chasseur : les rebelles n'existent pas. Tu fais partie d'un grand mirage.

– Arrête le moteur ! s'énerve l'albinos. Je ne veux pas entendre cette conversation.

– Tiens-toi tranquille, dit Sylvain. On arrive. »

Dans le rétroviseur, les yeux de Moreau le fixent.

Une chaleur de fer écrase le village. Il n'y a d'ombre nulle part. Les rares passants avancent, engourdis, comme s'ils avaient oublié où ils vont. Sylvain se gare devant les murs lézardés de l'ancienne résidence préfectorale. Il demande à ses hommes de descendre.

« Pourquoi ? l'interpelle Moreau, resté à côté du camion.

– Le moteur a besoin de refroidir », dit Sylvain, avant de remonter sa vitre. Il se tourne vers les deux gamins :

« De quoi avez-vous peur ?

– Je t'en ai déjà trop dit, répond le vendeur de maillots. Merci pour les kilomètres.

– Quel est le nom du village ? Je n'ai pas vu de panneau en entrant. Il n'est pas non plus sur les cartes de l'état-major.

– Il n'a pas de nom, s'impatiente l'albinos. On peut descendre ?

– Vous croyez que ça vous rend plus noirs de ne pas me parler ?

« – Qu'est-ce que tu dis, chasseur ?

– Tout le monde ici a la peau presque blanche, comme vous. Regardez les trois vieux, là-bas, assis sur le banc. Qu'est-ce qui se passe, dans ce village ? »

De l'autre côté de la rue, un chat galeux traverse la place et vient se frotter contre les jambes d'un des trois hommes, qui le chasse d'un coup de pied.

« Tu ne vas pas aimer ce que tu vas trouver ici, dit l'albinos. Il vaudrait peut-être mieux retourner dans ton camp et attendre de rentrer chez toi.

– Méfie-toi de ton chef », ajoute le vendeur de maillots.

Ils descendent du côté passager. Leurs quatre acolytes les attendent au carrefour, les mains dans les poches. Le plus grand se met à gesticuler avec un air de reproche. Il y a des éclats de voix, inaudibles. L'albinos et le vendeur de maillots se défendent. Ils ne parlent pas en français. Tout le monde disparaît dans une rue adjacente.

Dehors, l'air est chargé d'humidité. Sylvain s'approche de la grille qui protège l'accès au parc de la résidence. La peinture noire est mangée par la rouille ; elle n'a pas été refaite depuis des décennies. Derrière les barreaux, le jardin envahi par les plantes et la mauvaise herbe se déroule jusqu'à un second bâtiment à l'abandon, derrière lequel passe le fleuve. Les insectes et les bêtes qu'on entend dans la haie ont pris possession de la propriété.

À côté du portail, il y a une boîte aux lettres, peinte dans le même noir que la grille.

« Qu'est-ce que tu fous ? »

Moreau l'a rejoint.

« Va vérifier la température du moteur, dit Sylvain. Dis aux hommes de remonter. J'arrive. »

Le bruit blanc des insectes gonfle dans l'air humide. Les cinq lettres de son nom de famille sont encore

visibles sur la boîte. Sylvain s'éponge le front. Si ça
se trouve, tous les gens d'ici ont le même sang que lui.

« Putain de sauvage », dit Sylvain en crachant par
terre. Il met le masque du djinn devant son visage.

Le marchand est étendu à ses pieds. Un filet de sang
coule de son oreille droite. Éric tente de le ranimer en
lui donnant de petites claques. Dans le silence de la
montagne, il y a longtemps, Sylvain et lui se battaient
pour Audrey. Les phalanges d'Éric montaient vers le
ciel noir, piston qui s'écrasait sur les pommettes, le nez
et les orbites de Sylvain. Le froid de la neige et des
pierres cognait sur sa nuque. Une odeur de fumée volait
dans le vent. Quelque part, un braconnier se faisait à
manger. C'était la première fois qu'on levait la main sur
Sylvain. Au premier impact, les choses étaient devenues
claires et presque rassurantes : la douleur n'était rien et
la peur était tout. Il suffisait de se dire que ça ne faisait
pas si mal. Il pouvait encaisser les coups, ou il pouvait
se mettre à pleurer comme un enfant abandonné. Cette
idée ne l'avait pas lâché jusqu'à la fin. Il avait tenu
grâce à elle ; il n'avait pas fait l'erreur de se demander
quand ça allait s'arrêter.

Un groupe s'est formé autour de l'homme étendu
dans la poussière. Il y a d'autres marchands, des soldats.
Ils regardent Sylvain et ils ne peuvent pas comprendre.

Une larme coule de son œil gauche. Elle fait halte sur
le relief de sa cicatrice, hésite sur le chemin à suivre, part
sur le côté. Dans le regard des autres, il sera toujours
l'homme à la moitié de visage. Ils ont peur de lui. Les
femmes aussi. La laideur et la répulsion ne viennent
pas sans travail ; il faut être à la hauteur et les mériter.

Longtemps, il ne s'est pas rappelé pourquoi il avait
insulté Éric cette nuit-là. Les mots étaient sortis de

sa bouche, coupants et durs comme un silex, comme ceux qu'il jetait à sa mère, quand le Forestier était loin. Sa seule façon d'exister était de la faire souffrir, en l'accusant des tourments qui le rongeaient. Elle prenait tout sur elle. Avant que la maladie l'emporte, le dernier soir, elle l'avait serré dans ses bras en lui disant qu'il était un bon fils.

Comment pourraient-ils voir ça, ceux qui ont ramassé son fusil et qui le fixent comme un déséquilibré ?

La fuite en avant est la seule voie de Sylvain : ce qu'il aime, il le détruit. Audrey. Elle, c'était comme avec le Forestier. Il n'avait pas trouvé le courage de lui avouer ce qu'il ressentait. Et, quand elle l'avait compris toute seule, qu'elle lui avait ri au nez, il n'avait pas osé parler non plus. Il ne restait plus qu'Éric à qui le dire. C'était la façon malade que Sylvain avait de s'accrocher à sa main, de lui montrer qu'il devait demeurer son frère, ne pas partir avec cette fille qui allait les séparer et mettre fin au dernier bonheur de sa vie de merde.

« Sylvain ? Sylvain ? Tu m'entends ? »

Le froid de la montagne sur sa nuque et l'odeur de fumée s'évanouissent. Éric s'approche, le bras tendu et la paume de la main vers le sol – le geste d'apaisement qu'on leur a appris en cas de situation difficile avec des locaux. Le marchand est assis, derrière lui, une compresse sur la tête. Un des chasseurs est en train de lui poser un bandage, sous l'œil de Moreau.

« Le masque, dit Éric, donne-le-moi. S'il te plaît. Le marchand ne portera pas plainte si tu lui rends son masque. »

Le brave homme. Lui non plus, il n'a pas idée. Depuis le début de la mission, Ferrand a des soupçons, il convoque Sylvain pour un oui ou pour un non. Le lieutenant veut en avoir le cœur net : est-ce que Sylvain sait que l'opération est un paravent pour son trafic d'or, ou est-ce qu'il n'est qu'un soldat un peu tordu, plus porté sur l'histoire et la géographie que le troufion moyen ? Avec ce coup d'éclat, au vu et au su de Moreau, sa réputation de brute épaisse sera établie et on ne se posera plus de questions.

« Sylvain. Je vais enlever le masque et le prendre. OK ? »

Éric tend la main vers lui et prend le masque, avec douceur. Sylvain le laisse faire. Pour la première fois depuis des années, il regarde son frère sans haine, avec ses yeux d'enfant.

La mission a continué, rythmée par les allers-retours entre le cantonnement et le village dont leur grand-père avait fait le quartier général de son trafic, jusqu'au jour où Éric a perdu les pédales. Parce qu'il avait compris lui aussi ? Ils n'ont pas eu le temps d'en parler. Deux gars lui ont donné l'intraveineuse et l'ont chargé sur le brancard à l'arrière du camion, qui est parti en direction du sud-est. Moreau conduisait. Il n'y avait personne d'autre à bord.

« Je veux savoir où est mon frère », dit Sylvain.

Le lieutenant Ferrand signe des papiers en plusieurs exemplaires qui ressemblent à des bordereaux de fret. Au fond de la tente, il y a trois caisses en métal identiques à celles que Sylvain a vues le soir où Éric et lui s'étaient baignés dans le lac. Elles sont fermées par des cadenas.

« Je suis désolé, Lazar.

— Qu'est-ce que ça veut dire ?

— Je ne peux pas vous donner l'information que vous me demandez. »

Le souffle du ventilateur agite la toile de la tente. Une odeur de fioul baigne dans l'air. Dehors, comme tous les soirs, le moteur du groupe électrogène absorbe les bruits que font les hommes.

Ferrand enlève ses lunettes pour nettoyer les verres.

« Je suis navré. J'aimerais pouvoir vous aider.

– Vous l'avez arrêté ?

– Négatif.

– Alors pourquoi est-il au secret ?

– Je ne peux pas vous en dire plus – »

La sirène d'alerte du cantonnement l'interrompt. Il n'y a pas d'exercice prévu aujourd'hui. Ferrand se lève pour aller voir ce qui se passe.

« Ça ne me va pas », dit Sylvain en bloquant le passage. Il arrache l'arme de poing que Ferrand porte à la ceinture.

« Qu'est-ce que vous faites ? s'écrie l'autre. Vous avez perdu la tête !

– Une réaction à l'environnement, sans doute. Asseyez-vous.

– C'est la prison qui vous attend si vous ne vous reprenez pas immédiatement. Vous savez combien d'années vous risquez ?

– Je m'en tape, dit Sylvain en le mettant en joue. Je veux savoir ce que vous avez fait de mon frère. Si vous ne me répondez pas, les conséquences seront plus immédiates et plus définitives pour vous que pour moi. »

La sirène s'arrête. Son écho va mourir sur la colline. De nouveau, il n'y a plus que le bruit du générateur. Sylvain arme le pistolet :

« C'est votre dernière chance, lieutenant. »

Ferrand ne bouge pas. L'ampoule blanche de sa lampe de bureau se réfléchit sur ses lunettes. Il a le front en sueur.

« Il est avec Moreau, dit le lieutenant, livide. Près d'une piste à dix minutes au nord d'Agnam Thiodaye.

– Qu'est-ce qu'il y a là-bas ? La mine d'où vous sortez votre or ?

– Vous divaguez.

– Répondez », dit Sylvain en lui collant le pistolet contre la tempe.

Ferrand soupire :

« Il y a une baraque – un ancien dépôt de munitions à moitié écroulé mais qui donne de l'ombre. L'entrée de la mine est située à trois cents mètres, de l'autre côté de la piste.

– L'or. Il s'en va à Saint-Louis dans ces caisses ?

– C'est celui de votre famille, dit Ferrand en hochant la tête. C'est votre grand-père qui a imaginé et mis en place le système.

– Je sais. Votre bande de pillards se croit tellement au-dessus des lois que personne ne pense à effacer les preuves. Ça fait trois semaines que je les ramasse et que tu n'y vois que du feu, pauvre con. Les faux rapports des humanitaires. Les rebelles fantômes. Le cargo vers Saint-Louis. Les métisses de ce village maudit. J'ai tout mis sur une clé USB. C'est fini. »

Une ombre s'arrête devant la tente. Sylvain baisse son arme :

« Entre, Calixte. »

La toile se soulève. Ferrand a un mouvement de recul :

« C'est qui, celui-là ?

– La famille, répond Sylvain en se tournant vers l'homme aux yeux gris, qui porte un uniforme du 27e. Tu as la seringue ? »

Calixte acquiesce.

« Et qu'est-ce que c'est que ça ? s'effraie Ferrand.

– La peste, connard. La fièvre va te faire crever comme un rat. Comme tous ces misérables qui tapent sur la pierre sans jamais voir le jour. »

Ferrand s'est mis à trembler comme un animal. La peur fonce dans ses artères :

« Vous voyez ces caisses ? Il y a cent cinquante kilos d'or pur. Elles sont à vous. Venez avec moi. Vous avez une idée de combien vaut ce trésor ? Je l'avais dit à votre père : ce ne sera qu'un juste retour des choses.

– Laisse mon père en dehors de ça, dit Sylvain en faisant signe à Calixte. Il a assez de remords sur sa barque pour couler jusqu'en enfer. »

La seringue s'enfonce dans le cou de Ferrand, qui s'affale sur sa chaise. Calixte le porte sur le lit.

« Si les dieux sont avec nous, personne ne viendra le déranger avant le lever du soleil, dit Sylvain. Ça nous laisse dix heures. »

Il pose la main sur le bureau de Ferrand et se fige.

« Qu'est-ce que tu fous ? demande Calixte.

– Je touche du bois. On va avoir besoin de chance, mon vieux. Les dieux ne risquent pas de nous aider beaucoup ici. C'est la vallée du diable. »

Des avalanches arrivent

2006-2007

C'est la pause entre le journal et la météo. Des voix stridentes se succèdent pour claironner le début des soldes d'été. Voitures, vêtements, ordinateurs, meubles de jardin. Matériel de camping. Moins 30 à 40 % non cumulables avec une autre remise, dans la limite des stocks disponibles. Depuis qu'Éric est parti, il faut remplir le silence de la maison. Il était là. Il lui parlait et la regardait. Si elle n'allume pas la radio, ce sont les choses qui la regardent.

Des cahiers d'élèves traînent sur la table de la cuisine. Audrey n'a pas le courage de finir ses corrections. La journée est trop douce, trop chargée d'été pour le travail. Ce soir, à la rigueur, à moins qu'elle aille dîner chez Diane. Il reste deux semaines avant les grandes vacances. Elle fermera la maison après le 14 juillet. Paris, d'abord, pour déposer Clémence chez ses parents. Puis le nord de l'Angleterre, le Lake District, l'Écosse et l'Irlande – seule. Elle a acheté un billet *low cost* pour Manchester le mois dernier, sur un coup de tête. Elle s'est dit qu'en partant, elle ne l'attendra pas. Il suffira de changer d'endroit, jour après jour, et chaque kilomètre la rapprochera de lui.

Quand elle rentrera en France, il ne restera plus qu'une semaine avant son retour.

Elle remplit la grande tasse jaune dans laquelle Éric boit son café du matin. Avant Clémence, il lui arrivait de se sentir à l'étroit avec lui. Il avait vécu longtemps seul et occupait toute la place. Il ne savait pas qu'il fallait la laisser respirer. Les après-midi d'hiver, quand elle s'allongeait sur le canapé du salon pour lire, il venait allumer un feu dans la cheminée et s'installait en face d'elle, un sourire aux lèvres. Elle essayait de rester concentrée mais finissait par poser le livre :

« Quoi ?

– Rien.

– Tu vois bien que je lis.

– Ça raconte quoi pour que tu sois aussi absorbée ?

– Laisse-moi lire, s'il te plaît. »

C'était trop tard. Il avait beau lui donner le silence qu'elle réclamait, il restait là, attisant les braises, faisant voler les cendres au pied de l'âtre, allant chercher des bûches dans le jardin sans refermer la porte derrière lui. Il ne comprenait pas quand elle s'en allait vaquer à d'autres occupations, parce qu'il lui fallait bien trouver un moyen d'étouffer les agacements que ces interruptions provoquaient en elle.

Audrey se sentait ingrate. Après tout, c'est elle qui était revenue à Isola, elle aussi qui avait voulu une maison à eux. Éric consacrait tout son temps libre aux rénovations. Il y mettait du cœur et de l'imagination ; le chantier avançait vite et bien. Elle aimait y travailler avec lui. Pourtant, en le voyant refaire le joint des murs extérieurs, poncer le Placo dans les chambres à l'étage, elle ne pouvait s'empêcher de se demander combien de temps ils tiendraient, elle avec son besoin d'air et de complicité, lui avec sa soif de mots rassurants qui ne voulaient rien dire.

Clémence est dans le jardin, installée sous l'érable. Elle fixe un buisson près de la clôture qui sépare leur terrain et celui de Diane. C'est là que le lièvre a son terrier. Le matin, même s'il fait un temps de chien, Clémence a pris l'habitude de lui apporter une carotte et une feuille de laitue. Les arbres sont en fleurs. Le redoux est arrivé tôt cette année. Fin mars, la neige avait commencé à fondre. Elles ont aperçu le lièvre un peu plus tard. Audrey a fait le calcul : Éric était parti depuis six semaines.

C'est quand Clémence est née qu'il avait trouvé sa place. Son amour pour Audrey était intact, il était même devenu plus profond, plus mûr, et cependant sa prévenance s'était fixée, sans chambardement, sur un autre point qu'elle. Le naturel avec lequel Éric s'était métamorphosé en père avait aidé Audrey à endormir le mal que lui avait fait Sylvain. Est-ce que Clémence était la fille d'Éric ? Grâce à lui, à l'épaisseur de sa présence, elle réussissait à ne plus se poser la question. Elle ne pensait plus à ce soir au bord de la route, à la carrosserie sale et froide de sa R5, à la brûlure de la banquette arrière sur sa tempe, à Sylvain, ni à lui rendre la monnaie de sa pièce. Seule restait une vérité : Éric et elle avaient désormais quelque chose à perdre.

Son engagement dans l'armée, elle n'avait pas cherché à le comprendre. Elle ne lui avait pas non plus demandé de le justifier. À l'école, le jugement de ses collègues était sans appel : Éric fuyait parce qu'il ne voulait pas *assumer*. Tous les mêmes, c'était l'alpha et l'oméga de leur vision du monde : un homme se débinant devant ses responsabilités de père et l'ennui de la vie familiale. Il n'y avait que Diane pour voir les choses d'un œil différent. Éric et elle se ressemblaient trop, rudes et taciturnes qu'ils étaient, pour s'entendre. Mais Diane répétait à Audrey qu'elle pouvait compter sur lui et qu'il ferait un bon père. Quand on vit loin de chez soi, sans connaître ni les gens ni leur histoire, on choisit ses amis à l'aveuglette. Audrey faisait confiance à Diane et ne se le reprochait pas.

Elle rince la tasse, la sèche et la remet à sa place sur l'étagère. Dehors, Clémence s'est mise à dessiner, allongée sur le ventre, les jambes repliées en l'air. Elle tient le coup, elle. Audrey donne le change ; elle a mal tout le temps. Elle ne s'attendait pas à ce qu'Éric lui manque à ce point. Son absence imprègne le moindre élément de leur quotidien. Elle est couchée auprès d'Audrey quand elle se réveille ; elle l'attend quand elle se couche. Elle est assise à ses côtés, à table ou en voiture. Elle est dans ses pensées et dans ses rêves. Depuis plusieurs nuits, il vient la voir pour lui faire l'amour. Elle sent sa présence comme s'il était là. Il s'allonge contre elle. Il la touche, sous le coton de son T-shirt et de sa culotte. Elle ne se réveille pas mais l'attend dans son sommeil. Il commence à aller et venir en elle. Elle reconnaît le contact de ses doigts, l'odeur de sa peau, les mots qu'il dit en l'embrassant dans le cou, en collant sa tempe contre la sienne. En même temps, il y a quelque chose en lui de différent. Elle ne sait pas quoi et cette incertitude s'ajoute à son amour. Elle jouit, puis se réveille avec un grand vide, entre ses jambes, et dans la clarté du petit matin derrière les rideaux. Une ligne de faille traverse la journée, comme une fêlure dans un cristal.

Audrey aperçoit Éric de l'autre côté de cette crevasse : c'est lui, et c'est quelqu'un d'autre.

Elle fait défiler les stations sur la bande FM : publicité, musique, publicité. Une émission de jardinage. Elle éteint et se rassoit. Il reste les corrections ou le silence. Si elle corrige tous les cahiers, c'est décidé, elle ira dîner chez Diane, boira ce qu'il faut pour ne pas faire d'insomnie. Les moments où l'absence d'Éric ne l'envahit pas sont des trésors.

On frappe à la porte.

Il y a une berline noire garée devant la maison.

« Audrey Lancelot ? »

L'homme a moins de quarante ans. Il porte un costume sombre et a les cheveux coiffés en arrière. Il parle comme un haut fonctionnaire qui habite à Paris sans y être né. Un chasseur alpin en uniforme se tient derrière lui, les mains dans le dos.

Le haut fonctionnaire ne dit pas son nom, ou elle ne l'entend pas. « Ministère de la Défense. Je suis désolé, madame : je suis ici pour vous dire qu'Éric Fedeli est porté disparu. »

Le mot n'a aucun sens :

« Disparu ?

— Il y a trente-six heures, à cinq kilomètres de la frontière entre la Mauritanie et le Sénégal. Du côté sénégalais. Il semblerait qu'il y ait eu un accrochage entre le détachement dont votre époux faisait partie et un groupe de rebelles. Ce genre d'embuscades est monnaie courante, hélas. Nous sommes en train de tirer ça au clair.

— Nous vivons ensemble.

— Bien sûr. »

La catastrophe est là, juste de l'autre côté d'un euphémisme qui ne fait de mal à personne, tant qu'il ne concerne pas quelqu'un qu'on aime.

« Nous vivons ensemble, nous avons une fille, mais nous ne sommes pas mariés. Éric n'est pas mon époux.

– Je comprends. Pardonnez-moi ce raccourci. »

L'homme la fixe avec perplexité, et un air inquiet dans lequel elle lit aussi de l'impatience. Il ne peut pas utiliser d'autres mots, la bienséance le lui interdit, mais il veut en avoir le cœur net : c'est à elle de lui montrer qu'elle a compris ce qu'il vient de lui annoncer.

Disparu. Elle doit comprendre toute seule, mais elle n'est pas d'accord. Est-ce que c'est trop demander de vouloir vivre encore quelques instants dans la réalité où Éric est vivant, où elle ne sait pas, où Clémence barre avec bonheur les derniers jours sur le calendrier qui la séparent du retour de son père ?

« Vous le cherchez, alors.

– Nous avons deux témoins oculaires qui étaient avec Éric au moment de l'incident. Ils l'ont vu tous les deux subir une blessure mortelle, par balles. C'est – excusez-moi d'être direct – c'est son corps qui a disparu. Il est possible que dans la confusion… Nous avons fouillé les environs, dans un rayon de dix kilomètres carrés. Les recherches n'ont encore rien donné. »

Mortelle. Elle se répète le mot mais son sens continue à lui échapper.

« Nous ne pouvons rien officialiser en l'absence du corps. Je suis là pour vous aider à vous préparer au pire. »

Derrière les épaules de l'homme, le ciel est toujours le même. La montagne et les nuages accrochés sur les cols. Le chant des oiseaux, les odeurs qui montent de la haie. La maison, les pierres qu'Éric a nettoyées, séchées, puis remises en place une par une, les objets et les meubles qu'ils ont disposés ensemble, cette somme de choix minuscules dont elle ignorait la valeur.

« Voici le numéro de la cellule de soutien psychologique, dit l'homme en posant une carte de visite sur le rebord de la fenêtre. Il y a aussi mes coordonnées. N'hésitez pas à m'appeler. À n'importe quelle heure. »

Il s'en va. Dans la cuisine, le cahier est ouvert sur la table. Dehors, à des années-lumière, Clémence tourne autour de l'arbre. La tasse d'Éric est sur l'étagère.

Audrey revient dans l'entrée. Sur le rebord de la fenêtre, il n'y a rien. Il n'y a pas de berline noire ni d'homme en costume sombre devant la maison. Le monde continue – intact, sans cicatrice.

C'est elle qui porte la blessure comme on porte un enfant : la carte de visite est dans sa main.

L'eau de pluie suinte de la gouttière et forme une flaque qui grandit au milieu du trottoir. Les voitures et les gens deviennent flous derrière les vitres. L'orage a délavé les couleurs de la montagne, sauf celles des K-way agglutinés devant l'entrée de l'école.

« Il faut y aller, ma puce.

– Ouais, fait Clémence à l'arrière de la voiture, c'est l'heure. » Depuis qu'elles sont redescendues de Paris, la fille a pris l'habitude de voler les mots de la mère, d'anticiper ses ordres. Si c'est Clémence qui les donne, elle n'obéit pas ; elle a l'illusion de faire ce qu'elle veut. Audrey a d'abord reproché ce nouveau trait de caractère à ses parents : elle n'a pas besoin d'une gamine qui se croit plus maligne que tout le monde. Puis elle a compris que c'était sa fille qui changeait.

Autour d'elle, ils ont tous la même formule à la bouche : « Ce dont tu as besoin, c'est de lui dire qu'Éric ne reviendra pas. » Elle ne peut pas : non par manque de courage, elle n'a pas peur de cette conversation, mais encore faudrait-il des preuves. Comment expliquer à

Clémence qu'elle doit faire le deuil de son père sans avoir quoi que ce soit pour rendre cette mort réelle ? Pas d'accident ni de maladie. Pas d'hôpital ni de corps. Pas de cœur qui s'arrête de battre. Pas de cercueil, pas d'enterrement. Pas de trou dans la terre. Pas de pleurs de sa mère, pas de grand malheur qui tombe avec fracas sur le toit de la maison et les vies de ses habitants. En vérité, aux yeux de Clémence, il ne s'est rien passé. Éric est parti, il n'est toujours pas revenu, sa mission en Afrique dure plus longtemps que prévu. Son absence ne suffit pas à prouver qu'il ne reviendra pas ; tout au plus est-elle une anomalie, un nœud inattendu dans le fil des jours. Elle est devenue la façon d'être d'Éric. Clémence, comme tous les enfants de son âge, a le pouvoir de s'adapter et d'accepter les bizarreries des adultes, même si celles-ci mettent son monde sens dessus dessous. Elle n'a pas celui de comprendre ce qu'elle ne voit pas.

« Tu ne veux pas que je t'accompagne ? Tu es sûre ?

– Maman, je rentre en CE1 !

– Je sais, ma puce. Je suis fière de toi. »

Clémence détache sa ceinture et l'attrape par le cou pour l'embrasser :

« À ce soir !

– Je pars pour la journée, tu te rappelles ? C'est Mamie qui vient te chercher. Je reviens demain. On ira manger des frites au Cow Club.

– Je crois que tu vas retrouver Papa, chuchote Clémence dans son oreille.

– Non, ma puce.

– Tu veux me faire la surprise.

– Papa est en Afrique, ma chérie. »

Les gouttes sur le pare-brise, le souffle du chauffage, les formes vagues qui passent dans la rue. Elle pourrait lui parler, dans cette bulle où elles sont en sécurité. Mais après ? Dehors ?

« Quand Papa va rentrer, reprend Clémence, il m'emmènera à la grotte. On ira voir le grand Cerf.

— Il doit être très fatigué, tu sais. Il y a très longtemps qu'il est parti. Peut-être qu'il ne retrouve pas son chemin.

— Comme Ulysse.

— Oui, comme Ulysse.

— On l'attendra. »

Clémence se baisse et ramasse quelque chose sous le siège passager. Le gant blanc et noir – le gant qu'Éric cherchait partout avant son départ.

« Ça veut dire que Papa pense à moi, dit-elle avec un sourire auquel seul le lièvre a droit quand il pointe le museau hors de son terrier.

— Bien sûr qu'il pense à toi », répond Audrey.

Quand elle arrive à la caserne, on la laisse franchir la barrière sans contrôle : chacun sait que les veuves ne sont bonnes qu'à pleurer. À Isola, personne n'est au courant à part Diane et le clan Lazar. Ici, il y a de la compassion dans tous les regards qu'elle croise, la pitié et la gêne naturelles des gens sains pour les choses endommagées.

L'état de grâce dure tant qu'elle n'a rien à demander :

« C'est impossible, dit le jeune gradé, je regrette ». Elle l'a déjà vu, sur le tarmac avant le départ, et quand Éric avait été promu au rang de caporal. C'est ce blond à lunettes qui lui avait remis ses galons.

« Impossible selon qui ?

— Les médecins. L'expertise psychiatrique au retour en France a diagnostiqué un très haut degré de stress post-traumatique, confirmé par la contre-expertise de la fin juillet. Sylvain n'est pas en état de recevoir. Dans l'état de fragilité où il se trouve, une rechute pourrait avoir des conséquences irréversibles. Donnez-lui du temps. Il finira par retrouver ses moyens et parlera à ce moment-là.

– Quand ?

– Il est impossible de se prononcer aujourd'hui. Tout ce que je peux vous dire, c'est qu'il est entre de bonnes mains. Il suit un programme de soins intensifs dédié aux cas de chocs en opération extérieure. Je comprends le besoin que vous avez d'entendre son témoignage, mais je vous demande de la patience. Tout le monde ici est bouleversé par ce qui est arrivé. Moi le premier. C'est la première fois que je perds un homme. J'ai deux enfants, madame. Deux garçons. Ma femme m'a annoncé qu'elle était enceinte du troisième quand nous étions là-bas. Je peux imaginer votre douleur et votre chagrin. »

Il porte une croix au cou. Il ne pense pas un mot de ce qu'il dit.

« Son père, il n'est pas non plus autorisé à lui rendre visite ?

– C'est une situation différente.

– Je ne vois pas en quoi.

– Il n'y a aucun lien familial entre vous et Sylvain Lazar.

– Je vis avec son frère ! Nous avons une fille de six ans !

– Comme vous le savez, Pierre Lazar n'a jamais reconnu la paternité d'Éric. Et vous n'êtes pas non plus mariés.

– Je ne vous demande pas un traitement de faveur. Je veux savoir ce qui est arrivé à l'homme que j'aime et au père de ma fille.

– Je vous ai communiqué toutes les informations que nous avons recueillies, minute par minute. Je vous ai proposé de parler à l'adjudant Moreau, qui était présent sur les lieux, et qui est avec Sylvain le dernier homme à avoir vu Éric vivant. »

Mais elle se moque de sa version des faits. C'est la vérité qu'elle veut. Il n'y a aucun élément matériel dans le dossier qui explique la disparition d'Éric après l'attaque des rebelles. Par ce qu'elle peut en juger, il pourrait très bien avoir été enlevé.

« Je suis désolé, madame, Éric a été tué dans l'échange de tirs. Vous avez raison, nous n'en avons pas la preuve matérielle, en l'absence de corps. Mais sa mort est la seule chose dont nous soyons certains.

– S'il est mort, comment vous expliquez *ça* ? »

Elle a posé la photocopie de la lettre sur le bureau. L'original l'attendait dans le courrier, mi-août. Il n'y avait pas de timbre sur l'enveloppe, juste l'écriture d'Éric – *Pour Audrey*

Le gradé ajuste ses lunettes et commence à lire ces mots qu'elle connaît par cœur :

Je crains de devoir m'absenter d'une minute à l'autre. Le signal laisse à désirer. Mais j'ai une nouvelle – dis-moi que tu es la seule à me croire.

Ils sont là ; il est là. Nous aussi, il me semble. Depuis des années et des années. Le temps s'enroule comme une vipère autour d'un bâton et nous revenons toujours au même point sans nous en souvenir. Je les ai vus ! Les fantômes patientent en silence, peut-être pour qu'on les reconnaisse. Pour qu'on se souvienne de la fatigue noire dans les souterrains. Elle continue. Chut ! Ils ne peuvent pas le dire.

Et lui, le vieux qui ricane en attendant le bon cheval ? Il veut fendre le désert et renverser la montagne. Des avalanches arrivent. Les enfants gris ne savent pas de quel côté pencher. Il va falloir que je choisisse mon camp.

Tu me crois, n'est-ce pas ?

Mon cœur pèsera lourd au moment de charger les valises. Le poids de tout ce que je sais et que je n'ai pas compris !

Ni date, ni signature. Audrey reprend le papier :
« C'est son écriture. Qu'est-ce qui s'est passé là-bas ?
– J'ignore à quels événements et quelles personnes l est fait allusion dans ce document. Si cette lettre est authentique, elle ne fait que renforcer l'analyse des médecins : Éric était en proie à des épisodes psychotiques et traversait une période de grande instabilité. Cela peut expliquer l'apathie que Moreau a remarquée chez lui pendant l'assaut des rebelles. »

Elle demande une chambre à l'arrière du motel, loin du parking. Le réceptionniste, un brun bronzé aux manières trop entreprenantes, dit que l'ascenseur a connu des jours meilleurs : elle aura plus vite fait de prendre l'escalier en spirale, dehors. Il lui donne une chambre double pour le prix d'une simple. Et qu'elle n'hésite pas si elle a besoin de quoi que ce soit. Il insiste en lui remettant la clé : n'importe quoi, vraiment.

La carte magnétique ne fonctionne pas ; la porte refuse de s'ouvrir. Audrey essaie plusieurs fois, d'abord sans attendre pour retirer la carte de la fente, puis en comptant jusqu'à trois. Pourquoi est-ce que l'idée lui vient maintenant ? Elle n'a pas pleuré depuis la visite de l'homme au costume sombre. Elle a tenu le coup et ça n'avait rien à voir avec de la résistance. C'est même tout le contraire – elle s'est raconté, en s'accrochant aux circonstances de « l'incident », que la lumière n'avait pas encore été faite sur la disparition d'Éric. Puisqu'il y avait des zones d'ombre et que personne ne pouvait expliquer ce qui lui était arrivé, la vérité restait à établir. Et elle, dans ces conditions, au nom de quoi aurait-elle dû envisager l'hypothèse qu'elle ne le reverrait jamais ?

Le témoin du verrou s'obstine dans le rouge. Ses jambes mollissent, comme quand elle avait douze ans, dans les starting-blocks, en attendant le départ. La vérité la frappe en plein visage. Ici, devant une porte de motel fermée, qu'elle fixe comme une pauvre conne. Il y a eu une embuscade. Éric a disparu. Ils ne savent pas où il est. C'est tout ce qu'elle a voulu entendre. Lâche ! Elle n'a rien dit à Clémence, non, pas pour la protéger, mais par réflexe d'autodéfense – pour continuer à ne pas y croire. L'enfant, c'est elle. Le petit oiseau fragile dont elle a peur de blesser les ailes. Égoïste et faible, qui n'a de mère que le nom. Elle n'a rien dit à sa fille parce que parler l'aurait forcée à regarder les choses en face. Éric a disparu. Il y a autre chose et il faut le reconnaître. Il n'y a pas d'excuses. Croire, c'est la maladie infantile qui subsiste le plus longtemps chez l'adulte. Certains enfants n'apprennent jamais à vivre avec le fait que toutes les choses ont une fin.

Il faut qu'elle le dise, maintenant.

Il est arrivé quelque chose à Éric.

Il a disparu.

Éric. Éric. Éric.

Elle n'entend pas le roulement électrique sous la poignée. Elle ne voit pas la diode verte qui clignote. Elle pleure, à genoux sur une moquette infâme. Ces larmes sont les mots qu'elle n'a pas su dire :

Papa est mort, je l'aime, il ne reviendra plus.

Une neige fine tombe sur le monument aux morts. Les flocons s'effacent au moment où ils touchent la pierre. Clémence, immobile dans son anorak – laquelle des deux tient la main de l'autre ? Il y a trop de monde. Les enfants de l'école, les enfants de chœur. Leurs parents. Le curé du village. Ils connaissaient Éric de vue. Toute la montagne est là, plus les militaires et les Parisiens. Les photographes ont accepté de rester à l'écart, avec les deux équipes de télévision. Elle a promis qu'elle leur dirait un petit quelque chose à la fin de la cérémonie. Ils n'étaient pas obligés de la croire.

Les uns ont les yeux baissés, les autres regardent le cercueil en pin de Maleterre sur lequel on a posé un drapeau et l'emblème du 27ᵉ, le tigre et le clairon. Pas Clémence : elle fixe la montagne comme si elle attendait l'arrivée de son père sur le dos d'un cerf magique.

Le ministre fait son discours en hommage au défunt. Audrey se serre contre sa fille. Et si c'était l'inverse ? Si le mort, c'était ce type avec ses grands mots ? Lui, elle, et tous les autres. Éric serait vivant, et Clémence la seule à le savoir. Ses yeux l'appellent et ils demandent : où es-tu ? Ils disent qu'elle est ici et lui montrent le chemin du retour. Elle ne fait pas semblant ; du haut de ses sept ans, elle n'a aucun doute sur le fait que son père a eu un simple empêchement.

Un soldat vient abaisser le drapeau qui flotte à droite du monument. La sonnerie aux morts s'élève, semblable à la corne de brume d'un paquebot fantôme. L'hommage militaire s'achève sur trois salves tirées par les chasseurs. Le son du dernier coup de feu ricoche au sommet du Pignals. *Des avalanches arrivent.* La forêt et la station seront rayées de la carte. Table rase. Une fois la neige stabilisée, Audrey attendra avec Clémence, ne sachant de quel côté le revenant se présentera. La silhouette noire d'Éric, capitaine du bateau, contre le velours blanc de la montagne. La chimère s'évanouit avec l'écho de la détonation. Le silence rappelle que rien n'a bougé ; tout est à sa place, sauf le cercueil, qu'on est déjà occupé à descendre du catafalque. Que deviennent les cercueils qu'un trou n'attend pas au cimetière ? Un bruit de perceuse la fait sursauter. Des ouvriers sont en train de démonter l'estrade et la tribune édifiées à la va-vite autour du monument. Dans une heure, il ne restera plus rien.

« Un mot, s'il vous plaît ? »

Ce n'est pas un journaliste, mais l'homme à tout faire du vieux Lazar qui l'entraîne loin du remue-ménage :

« Le Forestier a quelque chose à vous dire.

— Ma fille, proteste-t-elle en s'apercevant que la main de Clémence n'est plus dans la sienne.

— Je m'en occupe, dit l'homme aux yeux gris. Ne vous inquiétez pas. »

Ils disparaissent dans la foule. Elle se retrouve à l'arrière d'un 4 × 4 aux vitres teintées, où l'attend le père d'Éric et de Sylvain.

« Pierre Lazar, dit-il en lui tendant la main.

— Je sais qui vous êtes.

— Pardonnez ces façons cavalières. Beaucoup de gens observent vos faits et gestes.

— N'importe quoi.

— Ceux pour qui mes fils travaillaient. Les chasseurs ont l'habitude de se fondre dans la montagne. Vous n'y voyez que du feu.

240

– *Vos* fils ?

– Les gens auxquels je fais allusion pourraient être tentés de tirer des conclusions hâtives s'ils avaient vent de notre conversation. »

Éric n'a jamais parlé de son père. Elle a respecté ce silence, et c'est le même silence qu'elle lui doit aujourd'hui malgré les questions qui brûlent ses lèvres. Comment peut-on avoir un enfant et faire comme s'il n'existait pas ? Non seulement en refusant les conséquences, mais en gommant les causes comme si elles appartenaient à une vie blanche, qui n'a pas eu lieu pour de vrai. Est-ce que l'homme assis à côté d'elle éprouve du remords ? Est-ce que ses nuits sont paisibles ? Est-il fier de ce qu'il a fait ou a-t-il peur de mourir ?

« Vous voulez savoir ce qui est arrivé à Éric, dit-il. Moi aussi.

– Je doute que vous et moi voulions la même chose.

– Nous aborderons ce sujet une autre fois, si ça ne vous ennuie pas. Je dois vous entretenir d'une affaire plus pressante. »

Elle attend. Ce n'est pas à elle de demander. Qu'il parle, s'il a quelque chose sur le cœur.

« Ma famille a commis des crimes en Afrique. Mon père a utilisé le poste qu'il occupait dans l'administration coloniale pour mettre en place un système d'exploitation. D'abord les gens. Les bêtes. La terre. Puis il a trouvé de l'or. Des gendarmes corrompus l'ont aidé à mettre son butin en lieu sûr. J'ai pris la relève après les indépendances. Fait des forages, ouvert des gisements. Trouvé de nouveaux associés. Je savais que c'était du vol et j'ai continué à me servir. Voilà d'où vient ma fortune – peu importe que j'aie arrêté il y a longtemps. Isola, la scierie, rien de tout cela ne serait sorti de terre.

241

Et le système perdure. Aujourd'hui, ce sont les chasseurs qui transportent les cargaisons vers la France. »

Il plisse les yeux, comme pour préciser un souvenir, rendre une image plus nette. Son front a peu de rides. Ses cheveux sont épais et d'un gris argenté.

« Éric et Sylvain paient pour ce que mon père a fait et pour ce que je n'ai pas arrêté quand je le pouvais. Ils continuent à payer parce que le tort attaché à notre nom est irréparable.

– Éric est mort.

– Vous savez bien que c'est faux.

– Je crois que la mauvaise conscience vous aveugle.

– C'est vous qui n'entendez pas ce que je vous dis. »

Son expression enfantine. Elle l'a vue mille fois dans les yeux d'Éric, après une dispute ou un mot blessant. Il était une proie facile pour la déception.

« Calixte est allé là-bas.

– Votre garde-chasse ? En Afrique ?

– C'est moi qui l'ai envoyé. Comme j'ai mis Sylvain sur la piste du trafic, avec les livres et les cartes.

– Pourquoi ?

– J'en ai eu assez d'être du mauvais côté de l'histoire. Quand le temps raccourcit – vous comprendrez un jour. J'étais trop vieux pour faire le voyage. J'ai les regrets, mais plus la force.

– Vous avez jeté votre fils et votre serviteur dans la gueule du loup.

– Oui. Calixte était avec eux le matin où c'est arrivé.

– L'embuscade.

– Il n'y a pas eu d'embuscade, parce qu'il n'y avait pas de rebelles.

– Pas de rebelles ?

– Il y avait mes deux garçons, Calixte et un quatrième homme – Moreau. »

Le valet de Ferrand. Le fameux témoin. Elle a refusé de lui parler, à celui-là. Elle avait bien assez d'une seule version officielle.

« Calixte n'a pas vu ce qui s'est passé, ajoute le vieux, mais il dit que Sylvain le sait.

— Et vous le lui avez demandé. Moi, on ne me laisse pas le voir.

— Je suis allé à l'hôpital chaque semaine depuis qu'il est rentré. Ils l'ont mis sous sédatifs et il ne me reconnaît pas. Je ne suis même pas sûr qu'il sache qui il est. »

Dehors, la neige continue à tomber, plus épaisse. Il commence à faire sombre. Clémence va attraper froid.

« Tous les jours, à 9 h 37 exactement, Sylvain dit : *il est encore là-bas*. Puis il retombe dans son silence. D'après le rapport d'enquête, c'est l'heure à laquelle la fusillade a éclaté.

— Vous m'avez dit qu'il n'y avait pas de rebelles.

— Vous avez le droit de penser que je suis un salaud, fait-il en hochant la tête. Je vous demande une seule chose : la prochaine fois que vous vous inquiétez pour votre fille, rappelez-vous que j'ai été père moi aussi. »

Elle ouvre la portière. L'homme aux yeux gris est là, sous la neige. Il tient Clémence par la main. Elle n'a pas l'air d'avoir peur. La fermeture Éclair de son anorak est remontée jusqu'en haut du col.

« Je suis désolée, dit Audrey au Forestier. Elle et moi, il faut qu'on avance. Je ne peux pas vous aider. »

Elle descend. Le vieux Lazar fait au revoir de la main à Clémence, qui lui répond par un sourire. La place autour du monument est vide. Les camions-régies sont partis. Quand Audrey se retourne, le 4 × 4 a disparu. Il n'y a plus que la neige qui tombe en froissant la nuit.

L'Ennemi

2009

Le jour s'infiltre dans la chambre avec le silence d'un espion. Sylvain n'a pas besoin d'ouvrir les yeux. La lumière a posé ses griffes sur lui. Le danger est là ; les yeux de l'Ennemi collés à sa peau comme un masque. Il était pourtant sûr, hier soir, d'avoir colmaté les brèches. Il avait coincé le rideau derrière une chaise, empilé des oreillers dans les coins. Comme toutes les nuits, avant de se coucher, il avait collé du scotch de bricolage sur le cadre de la fenêtre. On ne peut rien laisser au hasard. Il le sait, depuis le temps. Il a appris. L'Ennemi a le pouvoir de s'engouffrer avec la puissance d'une armée dans la moindre faille. Il lui suffit de voir. La seconde d'après, les lignes arrière sont en flammes. On ne peut se fier à personne.

« Debout, sous-lieutenant. C'est le grand jour. »

Il n'a pas entendu l'infirmière entrer. Elle a un parfum à la lavande, qu'il a connu il y a très longtemps sur une autre femme. Ce serait une grande trahison si elle faisait partie des ombres qui aident l'Ennemi à voir et à revenir. Selon les médecins et le capitaine Ferrand, l'Ennemi est resté là-bas, aux portes du désert. Il fait le mort en attendant son heure. Sylvain est le dernier à l'avoir vu sous sa forme humaine, mais il a oublié son visage. Il se rappelle une silhouette dans le soleil ; la chaleur et la peur qui l'empêchaient de respirer. Il est le seul homme, de mémoire militaire, à avoir regardé l'Ennemi en face et à avoir survécu. Depuis trois ans, les médecins et le capitaine Ferrand le soignent en essayant de comprendre comment il a fait.

On sait peu de choses sur l'identité et les intentions de celui que les Noirs appellent Celui-qui-voit-tout : c'est le « djinn des djinns » ; il cherche depuis des milliers d'années à abolir le partage du jour et de la nuit ; s'il parvient à ses fins, l'univers replongera dans le chaos et seuls les esprits noirs, ses rejetons sur Terre, survivront. L'humanité sera décimée. Le règne des ténèbres, interrompu par l'avènement de l'Homme, recommencera. Des enregistrements d'ondes magnétiques dans la région où se trouvait Sylvain laissent penser qu'il a découvert le moyen de faire corps avec la lumière et de voyager avec elle : il se glisse dans les rayons du soleil pour voler le secret dont Sylvain est le gardien. Le jour où il reviendra, en chair et en os, il se présentera derrière le visage d'Éric, sa dernière victime connue. Il voudra peut-être ruser et se faire passer pour un ami. Sylvain est prévenu. Il l'attendra et ne se laissera pas émouvoir. Cela fait trois ans qu'il vit reclus dans cette forteresse et qu'il se prépare à venger son frère.

« On vient vous chercher à onze heures, fait l'infirmière en ressortant. Je descendrai sur le perron pour vous dire au revoir. »

Il passe la main sur sa cicatrice et ouvre les yeux. L'odeur de lavande flotte dans la chambre. Un bout de scotch s'est détaché du mur, laissant le rideau libre. Il le remet en place contre la fenêtre. De nouveau, l'obscurité parfaite. Chaque détail, chaque centimètre compte.

Il finit de boutonner sa chemise quand le capitaine Ferrand arrive. L'horloge du réveil indique 9 h 37.

« Bien dormi, sous-lieutenant ? »

Comme d'habitude, Sylvain hoche la tête pour répondre à cette question que Ferrand et bien d'autres lui ont posée. L'Ennemi a aussi le pouvoir d'entendre. Une seule chose peut être dite à son sujet.

C'est Ferrand qui a instauré le rituel :

« Où est-il, ce matin ?

– Il est encore là-bas, dit Sylvain en fixant le rideau noir.

– Vous avez parcouru un long chemin, sous-lieutenant. »

C'est le moment. Il a fini de se taire.

« J'ai fait mon devoir, capitaine.

– Peu d'hommes auraient accepté le fardeau que vous avez pris sur vos épaules en restant ici pendant ces trois années.

– C'était un mal nécessaire. Je ne le regrette pas.

– Et aujourd'hui, vous êtes prêt. »

Sylvain hoche la tête. Les mots lui font mal en sortant de sa gorge, il a l'impression d'enfiler un pull rétréci, mais c'est vrai. Il est prêt. Pour son frère et pour son pays. Pour l'Homme.

Ferrand s'approche et lui tend la main :

« C'est un honneur de vous avoir connu, sous-lieutenant. Mes pensées vous accompagnent. »

Dehors, Sylvain reconnaît l'humidité de l'automne. De lointaines sensations de froid l'assaillent. Les feuilles mortes tapissent la pelouse sur laquelle, jour après jour, il a fait sa promenade entre dix-sept heures et dix-huit heures. La voiture de son père est garée devant l'escalier en marbre.

« Bonjour, fils.

– Bonjour, Papa. »

Son père est surpris qu'il ait retrouvé l'usage de la parole. Il ne peut pas comprendre. L'Ennemi a de nombreux alliés, dans la neige comme dans le sable. Les médecins et le capitaine Ferrand ont mis en garde Sylvain contre les visages familiers.

« Content de te revoir, Sylvain. »

C'est la voix de Calixte. La dernière fois qu'ils se sont vus remonte au jour où l'Ennemi a pris Éric. Calixte était là – Sylvain avait oublié ce détail. Maintenant qu'il l'a en face de lui, le besoin de demander pardon à son frère enfle dans son cœur. Mais pourquoi ? On ne demande pas pardon à un mort. Il ne faut pas qu'il se laisse mener en bateau par des maléfices aussi grossiers.

« Qu'est-ce que tu deviens ?

– Toujours pareil, répond Calixte. Les arbres poussent. La neige tombe. Les animaux s'endorment. Le dégel arrive. Il faut couper les arbres. Je ne rajeunis pas, mais je serais ingrat de me plaindre.

– C'est bien. Moi, je me sens comme un nouveau-né. Je ne me rappelle rien. »

L'odeur du cuir ciré à l'intérieur de la voiture lui donne un haut-le-cœur. Calixte se retourne :

« Tout va bien ? »

Sylvain baisse la vitre. La voiture glisse sur la route. Les arbres nus défilent comme des stèles. Il fait de son mieux pour donner le change, mais la nausée grandit. La clarté du jour lui transperce les yeux. La trace de l'Ennemi est dans chaque panneau de signalisation, derrière chaque buisson, dans les nuées d'oiseaux. L'idée de revivre dehors l'écrase et lui coupe la respiration. Il ferme les yeux. La réalité est en lui. Le mensonge à l'extérieur : l'Ennemi se trouve déjà là, caché dans les creux du monde. Il cherche à lui faire voir les choses qui n'existent que derrière le soleil.

L'ombre et le caillou

2006

Le ciel a commencé à s'éclaircir il y a moins d'une heure, tout là-bas au-dessus du Mali.

Éric est à genoux, les mains attachées dans le dos, sous le soleil. Les vapeurs de la morphine qu'on lui a injectée commencent à se dissiper. Moreau est à cinq mètres, son pistolet braqué sur lui, adossé au mur du dépôt de munitions en ruine où ils ont passé la nuit. Il faut toujours que ce con fasse la conversation, même quand il n'a rien à dire. C'est la peur du silence. Il a beau avoir la situation en main, il ne peut s'empêcher de piailler comme un enfant inquiet :

« Tu sais comment s'appelle ce bled ?

– Aucune idée.

– Isolar. »

Moreau se met à rire :

« Tu ne me crois pas ?

– Si, dit Éric. C'est toi qui tiens le feu et moi qui suis à ta merci. Hallali par terre. Tu as déjà chassé ?

– Regarde ton ombre, dit Moreau. Tu vois comme elle est en train de raccourcir ? »

Il pose une pierre dans la poussière :

« Je te parie que le lieutenant aura appelé avant qu'elle passe ce caillou.

– Tenu. Qu'est-ce que je gagne si tu te trompes ?

– Du rab. Dans ta situation, ça n'est pas une mauvaise affaire. »

Les yeux d'Éric se ferment tout seuls :

« Qu'est-ce que vous attendez ?

– Le lieutenant veut la confirmation que les six mômes sont H.S. Un raid nocturne des rebelles sur le village. Tués dans leur lit, une balle dans la tête. Tu diriges la patrouille déployée pour répondre au S.O.S. Pas de chance : il y avait un comité d'accueil. Tu es mort en faisant ton devoir, soldat.

– Finissons-en.

– Je te l'ai dit : j'attends mes ordres. Concentre-toi sur ton caillou. Ça va passer plus vite. »

Moreau rit encore, mais il est terrifié. Il ne sait pas s'il est capable de finir la mission que Ferrand lui a confiée – exécution sommaire, meurtre de sang-froid. Ce n'est pas donné à tout le monde d'être la pomme pourrie. Combien y en a-t-il dans la section ? La question n'a plus d'importance.

Le soleil est haut maintenant et blanchit la vallée. Les ricanements continuent, mais ils ne viennent pas de Ferrand. On dirait que la chaleur en est la source.

« Je connais ce rire.

– Ferme ta gueule. »

Éric bâille. C'est peut-être le manque de sommeil ou un début d'insolation : il a déjà vécu ce moment. Moreau qui triture les boutons de sa radio. L'angle du soleil dans le ciel. L'ombre sur le sol. La baraque écroulée. Les rires qui virevoltent dans l'air chaud comme des insectes.

« Tout est déjà arrivé, souffle-t-il.

– Quoi ? Je t'ai dit de fermer ta gueule !

– Je vais te raconter comment l'histoire se termine.

– Ferme-la, ou je te brûle la cervelle ! »

Éric se lève :

« Rien du tout, Moreau. Tu ne vas rien faire du tout.

– Qu'est-ce que tu fous ? À genou !

– Tu veux que je te dise comment je le sais ?

– Ferme ta putain de gueule et remets-toi à genou !

– Tout ce qui est en train d'arriver, c'est une infinité de passés, de futurs. Toi et moi, on ne peut rien y changer. Tu protestes chaque fois qu'on rejoue la scène. Tu oublies qu'elle a été écrite par quelqu'un d'autre et qu'elle se termine toujours de la même façon. Tout ce que tu vas faire, même si tu es persuadé d'obéir à ta seule volonté ou à celle de Ferrand, va conduire à ce résultat. C'est inévitable.

– Pour la dernière fois –

– Tu fais erreur, dit Éric en s'approchant. Tu ne peux pas changer ce qui est fini. »

Il y a un tremblement, sous la terre et dans le ciel. La vallée est en feu. Elle brûle jusqu'au fond du trou où Éric est tombé.

« Baisse ton arme, Éric. »

La voix de Sylvain vient de loin, de la surface. Il y a quelqu'un à côté de lui.

« Je ne peux pas, dit Éric.

– S'il te plaît, frangin. C'est fini. J'ai les preuves contre Ferrand. On rentre à la maison.

– Tu ne vois pas que tu te trompes ? Ça finit, ça recommence et ça ne finit jamais. Il n'y a plus de maison.

– Tu as besoin de repos. Baisse ton arme et viens avec nous. C'est fini.

– Qui est avec toi ?

– Calixte. Ne fais pas l'enfant. Pense à ta fille. Donne-moi ton fusil.

— Je n'ai pas de fusil et je ne vous vois pas. Où est Moreau ?

— OK, frangin. Je compte jusqu'à trois.

— Allez, Éric. Ne fais pas le con.

— Calixte ? Demande à Moreau où en est l'ombre. Parle-lui du caillou !

— Un.

— Demandez-lui, merde ! Je sais comment ça se termine. Ça n'est pas ce que vous croyez.

— Deux.

— Si tu fais ça Sylvain ce sera plus fort que moi je reviendrai vous ne me verrez pas je te jure que je ne voudrai pas et pourtant je vous traquerai comme des bêtes vous ne me verrez pas venir je serai le noir dans vos yeux comme vous êtes le blanc dans les miens aujourd'hui Sylvain pardonne-moi je te dis que je n'ai pas d'arme si tu ne me crois pas si tu fais ce qui est écrit je reviendrai et je vous tuerai je vous saignerai comme tu as saigné le Cerf tu peux me croire : je sais comment ça se termine. »

En dessous de la saison

2016

Hier je t'ai vu comme je te vois sur cette photo du dernier été, j'ai cinq ans, tu me tiens par la main dans la lumière bleue du jardin, c'est la fin de l'après-midi un soir de mai, je regarde Maman et l'appareil photo, tu me couves des yeux, tu dis quelque chose dont je ne me souviens pas, si la photo n'existait pas je ne serais pas là à jouer aux devinettes, il n'y aurait rien, est-ce que c'était un mot banal, un de ces mots qu'on asperge cent fois par jour sur les enfants, comme ça, sans savoir pourquoi, c'est plus fort que les parents, ils parlent pour donner confiance, pour protéger, rassurer, est-ce que c'était un de ces mots pour faire grandir, ces engrais-là prennent toutes sortes de formes, ils ne s'épuisent jamais et vivent avec ceux qui les absorbent jusqu'à la taille adulte, jusqu'au jour où on se sent assez fort pour les recracher, les mots tout propres au moment où ils sortent se tissent entre nous comme des fils, la pelote ne cesse de grossir, chaque jour plus d'amour et d'inquiétude, plus de bonheur à perdre, les mots deviennent plus lourds et se salissent, chargés de la matière qu'ils nous rabotent, tu ne t'es jamais demandé s'ils ne m'étouffaient pas, si tu devais les dire, si tu serais capable de tenir les promesses qui les habitaient, le jour où elles seraient sorties de ta mémoire et où moi, pour une raison à laquelle tu n'avais pas pensé, je viendrais te demander d'être celui qui me parlait ainsi,

Tu ne dis rien, hier je t'ai vu et tu n'as rien dit, tu ne m'as pas vue, c'est bien toi pourtant qui me mettais au lit en chuchotant, fais de beaux rêves, petite, je te verrai dans les miens, quand tu es parti là-bas tu m'as répété les mêmes mots à l'oreille, tu me verras dans tes rêves, pour ça tu avais mis dans le mille, je t'ai vu chaque fois que je fermais les yeux, la nuit et le jour, ce n'étaient pas des prières, des vœux d'enfant, je te commandais de rentrer à la maison et tu n'obéissais pas, je devais me contenter des jolies petites promesses que tu m'avais faites, les mots comme les souvenirs ont besoin d'oxygène, on ne peut pas les mettre à l'abri dans un coffre, je t'ai vu encore plus après la visite de l'homme à la voiture noire, voilà où commence ma mémoire, avant ce matin-là il n'y a rien, je me souviens du bruit du moteur et de la joie qui m'a secouée comme une décharge électrique, je jouais dans le jardin, j'ai entendu la voiture ralentir et se garer devant la maison, moi je courais le long de la clôture en pensant, j'ai les yeux ouverts, j'ai les yeux ouverts, il est revenu pour de vrai, je ne suis pas en train de rêver, j'ai entendu Maman ouvrir la porte, il faisait doux comme le jour où elle avait pris la photo de nous deux, je crois bien que j'ai compris quand j'ai vu que ce n'était pas toi, j'ai su sans les entendre, c'était un de ces hommes envoyés pour dire la vérité, ils n'y vont pas par quatre chemins, le contraire de mon père avec ses promesses empilées comme des cadeaux au pied du sapin, quelque chose de coupant et de mortel s'est enfoncé dans ma gorge, j'ai compris que tu ne reviendrais pas, c'était mon tour de faire semblant, tout va bien, tout va bien, je suis devenue pour Maman le menteur que tu étais pour moi,

Alors, je t'ai demandé mille fois, tu ne revenais pas et pourtant tu ne me quittais pas, alors, monsieur le tigre des neiges, monsieur le soldat, monsieur le chasseur qui a dit de ne pas s'inquiéter et qui ne peut pas rentrer, alors, on n'a plus de salive ou quoi, c'est sec le désert, ça vous brûle les mots à l'intérieur de la bouche, alors, on a donné sa langue au chat, qu'est-ce qui me restait à part te voir, je ne savais rien faire d'autre, je mentais à Maman et je te voyais, si au moins tu m'avais envoyé un signe, si tu m'avais dit que j'avais le droit de vivre sans pleurer et que ça ne faisait pas de moi une meurtrière, tu sais quoi je t'ai vu hier et tu n'as rien dit, ni que tu me comprenais, que tu aurais fait pareil à ma place, ni que j'étais une sale petite ingrate, tu étais là dans la forêt, libre comme le vent, tu n'as pas dit un mot mais tu voulais que je te voie,

Je suis sortie du pensionnat, j'ai couru à l'aéroport, le car venait de fermer ses portes, j'ai souri au chauffeur, je n'avais pas de billet, le chauffeur a dit qu'on verrait ça plus tard et il a oublié, j'ai compté six passagers en marchant vers l'arrière, des Parisiens qui descendaient de l'avion et aimaient mieux la montagne l'été, aujourd'hui encore Maman rit en racontant comment tu bougonnais, le soir, contre les couillons des sports d'hiver, tu ne pouvais rien leur dire parce que leurs forfaits te payaient ton salaire, tu ne parlais pas beaucoup mais les jours où tu en avais besoin il fallait que ça sorte, tu n'aurais pas eu à te plaindre des six Parisiens qui voyageaient avec moi, un couple de randonneurs et une famille avec un frère et une sœur, l'aîné devait avoir six ou sept ans, Maman en avait seize quand elle t'a rencontrée, je me demande ce que tu as pensé quand tu l'as vue, vous n'étiez pas seuls, elle prétend qu'elle ne se rappelle pas le nom du garçon qui était avec toi, il n'y a pas que les pères qui mentent, elle avait vingt-cinq ans quand elle est revenue, et l'année suivante, figure-toi que je suis née,

Les Parisiens m'ont regardée descendre, le soleil réchauffait la montagne et se reflétait sur le glacier, deux vieux profitaient de la douceur sur la place de l'église, j'avais à peine posé le pied à terre qu'ils m'avaient reconnue, alors la belle, alors la Niçoise, c'est déjà fini l'école, il y avait une attente dans l'air qui n'appartenait pas seulement au printemps, c'était quelque chose d'autre, peut-être la joie de rentrer à la maison pour les vacances, j'étais contente de revoir Maman, je suis passée devant l'école, j'ai coupé par la futaie pour respirer l'odeur des sapins et de la neige fondue, à nouveau j'ai senti l'électricité du matin entre les arbres, les animaux remuaient dans les fourrés, il se passait quelque chose de plus profond que ma joie, que la fin du dégel, les choses vibraient en dessous de la saison, je me demandais ce que ça pouvait être quand je t'ai aperçu, j'ai vu ta barbe et tes cheveux, tu avais dix ans de plus, j'ai vu la blessure dans tes yeux, le fardeau que tes épaules portaient, les cicatrices sur ton visage, tu n'as pas eu besoin d'ouvrir la bouche, j'ai compris toute seule, j'ai entendu pour la première fois ce que tu essayais de me dire depuis tout ce temps, depuis la photo dans le jardin, en prenant soin d'utiliser des mots que je ne pouvais pas comprendre, tu voulais me faire croire que je serais libre le jour où tu m'aurais déçue.

Le jour qui grince

2006

Une clarté malade explose et se répand sur la tôle qui sert de toit au dépôt de munitions. Sylvain ne peut plus bouger. Ils sont arrivés trop tard. Éric avance droit sur Moreau, les yeux vides. D'une seconde à l'autre, il va s'effondrer, lui et son ombre ne feront plus qu'un.

« Pour la dernière fois », dit Moreau en se cramponnant à la crosse de son pistolet. Son doigt est sur la gâchette.

Le cri de Sylvain reste coincé dans sa gorge. Plus un muscle ne lui obéit – même ses yeux, impossible de les fermer.

Éric est à bout touchant. Il dit des mots qui n'ont aucun sens et qui affolent Moreau. Le pistolet entre eux a un air de désastre. C'est comme si Éric était déjà mort. Sylvain attend. Il n'y a qu'une chose à faire, dégainer le Famas, mais ses bras et ses mains ne répondent pas. Des liens invisibles le paralysent. La piqûre du soleil est insupportable quand il ferme les yeux.

L'ombre d'Éric rejoint l'ombre de Moreau. Le pistolet, ensablé dans le silence. Les secondes qui pèsent des heures. Est-ce que le coup est déjà parti ? C'est possible que Sylvain ne l'ait pas entendu. Mais si Éric avait été touché, il serait allongé dans la poussière.

Une troisième ombre se glisse derrière Moreau. La main de celui-ci lâche le pistolet. C'est la prise de judo de Calixte – bras tiré derrière le dos, en appuyant à la fois à l'intérieur du coude et sur la clavicule.

Sylvain s'approche. Des millions de lames chauffées à blanc sont plantées dans le sol et l'empêchent de lever les yeux. Il y a un mouvement sur sa gauche. La main d'Éric prend le pistolet et le jette au loin, dans l'air en ébullition. Son ombre tient les deux autres en joue au bout de son Famas.

Sylvain déglutit pour trouver un reste de salive au fond de sa gorge :

« Baisse ton arme, Éric. »

L'ombre dit quelque chose, une suite de sons qui ne ressemblent à rien, même dans une langue étrangère.

« S'il te plaît, frangin. C'est fini. J'ai les preuves contre Ferrand. On rentre à la maison. Tu as besoin de repos. Baisse ton arme et viens avec nous. C'est fini. »

Est-ce que c'est lui qui a appelé Calixte ? Il reprend :

« Ne fais pas l'enfant. Pense à ta fille. Donne-moi ton fusil. Je compte jusqu'à trois.

– Allez, Éric, dit l'ombre de Calixte. Ne fais pas le con.

– Un. »

Il y a un déclic – le cran de sûreté du Famas, la réponse d'Éric. Les hommes et leurs mots n'ont plus leur place ici. Ils ne restent que des ombres dans une vallée en feu.

« Deux.

– Hé hé hé. »

Sylvain se retourne. La blancheur du jour lui lacère le visage. Il passe la main sur sa cicatrice – elle a dû se rouvrir. La douleur est aussi vive que la nuit où Éric lui a cassé la gueule.

« Hé hé hé. »

Les ricanements deviennent de plus en plus stridents. Impossible de dire d'où ils viennent, de l'intérieur du dépôt ou de derrière. En même temps, il lui semble qu'un démon rit dans sa tête, que c'est lui qui fait ce bruit de bête.

« Trois. »

Quelque chose doit céder. La main d'Éric sur la gâchette. La cartouche dans la chambre. Le jour qui grince. Si Sylvain ne tire pas maintenant, son crâne va se disloquer. Tout plutôt que cette cicatrice à vif qui déchire le ciel et le brûle de l'intérieur.

La main de Sylvain se détend, puis l'ombre, tout entière. Ce n'est pas lui qui l'a décidé. Le monde a été fendu, ouvert, par une force extérieure. Il respire. La pression qui faisait craquer ses coutures s'évanouit dans le vent comme l'air d'un pneu crevé.

Éric est à terre, inerte. Il y a un trou sur son épaule droite d'où le sang jaillit aussi noir que son ombre. Une autre balle fait voler une motte de terre, puis une autre un caillou. Ils sont en train de se faire aligner comme des cibles sur un stand de tir.

« Ça vient d'où ? crie Sylvain à Calixte.

– De là-bas, fait celui-ci en montrant la butte qui se dresse, plein ouest, à cinquante mètres.

– Aide-moi à le porter à l'abri. »

Ils courent vers le dépôt de munitions. Sylvain tourne le dos au sniper, pour boucher l'angle de tir. Quatre balles sifflent près de lui et font un bruit sec en ricochant sur la tôle. S'ils avaient voulu le tuer, la première aurait fait mouche.

L'intérieur de la baraque est pire qu'un four.

« Et maintenant ? demande Calixte.

– Appuie sur le point de sortie, dit Sylvain en faisant demi-tour. Il perd trop de sang.

– Prends son fusil. »

Sylvain secoue la tête :

« On n'a aucune chance comme ça. Je vais leur parler. »

Dehors, les tirs ont cessé. Moreau erre comme un fou dans la poussière, à la recherche de son pistolet. Ferrand approche, boitant un peu, accompagné de deux chasseurs. Celui de gauche, un brun qui a gardé ses lunettes de soleil sur les yeux, Sylvain ne le reconnaît pas. L'autre, c'est Abel : le crâne rasé du Mercantour.

Ferrand a laissé son arme de poing dans le holster. Il n'a pas de fusil :

« Je suis déçu, Lazar.

– Je ne peux pas en dire autant.

– Vous pensiez déserter jusqu'où, comme ça ?

– Rappelez-vous ce qu'il y a sur ma clé USB. »

Ferrand sourit :

« Vous êtes encore plus con que ce que je pensais.

– Vous faites venir un hélico sanitaire pour emmener Éric à Dakar. Une fois qu'il est tiré d'affaire, on rentre en France. Je vous donne la clé.

– Aussi simple que ça ?

– C'est à prendre ou à laisser.

– Allez me chercher son frère et l'autre mercenaire, ordonne Ferrand aux tireurs.

– Comment allez-vous justifier trois morts ?

– Ferrand a tenté de l'expliquer à votre frère : les rebelles sont des gens assoiffés de sang.

– Et la présence d'un civil avec deux de vos soldats ?

– Ce ne sera pas la première anomalie au sud du Sahara.

– Lieutenant ! Venez voir, vite ! »

C'est la voix de Moreau.

À l'intérieur du dépôt, Calixte est allongé sur le ventre, inconscient. Éric a disparu. Une odeur de charogne flotte au-dessus de l'endroit où il était couché. Il y a du sang noir sur le sol.

« Où est-il ? » dit Ferrand en se couvrant la bouche et le nez, tandis que Moreau sort, malade.

Cette odeur de bête décomposée infectait le sous-bois, le jour où Sylvain et le Forestier sont revenus dans la forêt, pour dépecer le cerf et le rapporter au Bunker. Le cerf n'était plus là, lui non plus.

« Où est Éric ? » hurle Ferrand. Il braque son pistolet sur Sylvain : « Dis-moi où se planque ton bâtard de frère ! »

Camara Oumar

Les dunes ondulent sous un ciel de fer jusqu'à l'horizon. En reconnaissance, ils ne sont jamais remontés aussi loin au nord de la frontière. Cent kilomètres ? Deux cents ? Impossible de se repérer : il n'y a que du sable, à perte de vue. L'humidité de la vallée a fait place à une chaleur aride. Aucune herbe ne peut pousser par ici.

Il fait grand jour, une lumière électrique s'étale dans le ciel, mais le soleil n'est pas là. Au sommet de la dune la plus proche, il y a un vieux Noir assis sur un tabouret en fer. Il n'est pas armé et n'a pas l'air hostile. Sa silhouette est familière. Ses yeux sont cachés par un étrange reflet. Éric s'approche. Son côté droit le fait souffrir. Il y a un trou sur son uniforme, du sang séché à hauteur de la clavicule. Son Famas et son arme de poing ont disparu.

« Tout doux, chasseur. Tu reviens de loin. »

Le Noir parle sans remuer les lèvres. Sa voix non plus n'est pas étrangère.

« Je parle dans ta tête, dit-il, parce que l'air est trop léger ici.

– Où est-ce que nous sommes ? Je connais cet endroit.

– Hé hé hé. Toujours aussi agité. Tu es à Isolar.

– Est-ce que c'est un rêve ?

– Rêve, réalité, la différence n'existe que dans ton petit cerveau de Blanc. Si tu ne l'as pas encore compris, je ne peux rien pour toi. »

Il fait une grimace moqueuse et se remet à ricaner :
« Pose-moi plutôt une question utile.

– Quel est ton nom ? demande Éric.

– Camara, Oumar. Né en 1935 à Haere Lao. La porte du désert. Camara, Oumar, né en 1910 à Mboumba. Camara, Namori, né en 1892 à Sori Malé. Je continue ? La liste est longue.

– Qui es-tu ?

– Regarde là-haut. Qu'est-ce que tu ne vois pas ?

– Le soleil.

– Hé hé hé. Tu n'es qu'un pauvre aveugle, fils. Les Blancs t'avaient crevé les yeux bien avant de te tirer dessus.

– Il n'y a pas de soleil dans le ciel. Je suis peut-être aveugle, ou bien tu es peut-être fou.

– Toujours à parler pour ne rien dire ! Toujours des mots vides. Approche. »

Une puissante chaleur émane de la peau du vieux Noir. Son torse est couvert de cicatrices. Il y a des balafres qui forment un étrange motif sur son visage, chaîne de montagnes ou dents de requin :

« C'est quelqu'un de ta famille qui m'a fait ça. Où est ton ombre, fils ?

– Il n'y a pas de soleil. Je ne peux pas avoir d'ombre.

– Si tu n'as pas d'ombre, c'est que tu dois être mort. »

La chaleur du Noir grandit et se diffuse en Éric, comme les ondes de sa voix. Ce n'est pas une brûlure, mais une source d'énergie, une force. La douleur dans son épaule a disparu.

« Qui es-tu ? répète Éric.

– Je suis Uru-anna, Uruwan, Varuna. Tu sais ce que ça veut dire ?

– Orion.

– Hé hé hé. Encore un nom de Blanc ! Je suis celui qui se cache derrière le soleil, fils. Je suis l'Ennemi et je crache sur ton père.

– Je n'en ai pas.

– J'avais tout l'or du monde et je ne demandais rien à personne. Un jour, un Blanc est venu. Puis un autre. Les Blancs sont des scorpions. Ils ont pris mon or et m'ont abandonné ici, tel que tu me vois. Leur ventre est lourd des richesses qu'ils nous pillent. Tu trouves que c'est juste ?

– Je ne suis pas un scorpion.

– Qui a dit que tu es blanc, fils ? Tu es le Chasseur et tes os sont noirs. Tu as été piqué par le scorpion. Tu ne t'en souviens pas ?

– Quelle est la date d'aujourd'hui ?

– Hé hé hé.

– Où est le scorpion ? »

L'autre fronce les sourcils et le fixe. Les pieds d'Éric sont enracinés dans le sable. Quelque chose l'a fait prisonnier. Ou c'est le temps lui-même qui s'est échoué ici, sur le grand récif.

« C'est la première bonne question que tu poses. Eh bien ! Où veux-tu qu'il soit ?

– Il avance quelque part dans la nuit.

– Idiot ! Ce n'est pas avec ce genre d'âneries que je vais remettre la main sur mon or. Oublie les astres, regarde les hommes.

– Comment savoir où regarder si je ne sais pas où ni quand je suis ? »

Le Noir lui jette une poignée de sable à la figure :

« Il est dans ta maison ! Où veux-tu qu'il soit, j'ai dit ! Tu entends tout de travers.

– Dans ma maison ?

– Es-tu un homme ou un perroquet ? Tu dois rentrer chez toi pour trouver le scorpion et le tuer. Un soldat, ça tue sans réfléchir.

– Je suis loin de chez moi et j'ai peur de ne jamais rentrer. Je veux revoir ma femme et ma fille.

– Tu es plus près de chez toi que tu crois, ne t'occupe pas de ça. J'en fais mon affaire.

– Le Cerf est mort il y a longtemps.

– Il y a longtemps ? Tu ne sais rien ! Et qu'est-ce que c'est que cette histoire de cerf ? La vie et la mort, le passé et le futur – leurs frontières n'importent qu'aux petits Blancs mal cuits. C'est comme *ta* femme et *ta* fille. À ta place, je ne serais pas aussi catégorique.

– Parle.

– Et toi, écoute, pour changer. Le préfet a eu un fils. Le Forestier a eu un fils. Le fils du Forestier a eu une fille.

– Sylvain aussi est son fils. C'est mon frère.

– Tu l'appelles comme tu veux. Moi, je connais son vrai nom. »

Un écœurement lointain prend corps en Éric :

« Je veux rentrer chez moi. Ma femme et ma fille m'attendent. Je me fous du reste.

– Ta fille a ton sang mais elle n'est pas ta fille, je te l'ai déjà dit. Si tu faisais un effort pour te concentrer.

265

– Qu'est-ce que ça veut dire ?

– Au fond de toi, tu connais la vérité. Elle te fait mal. Elle te tue. C'est plus facile de l'oublier.

– Alors rafraîchis-moi la mémoire, au lieu de tourner autour du pot.

– Je n'ai pas besoin de préciser le soir dont je te parle. »

La brûlure du sable sur ses genoux. Le grincement du diable dans ses oreilles. La mort dans son épaule. Ce soir d'été, il était seul dans la maison d'Isola. Les objets étaient chargés de son attente. Le vieux Noir a raison : il savait déjà. Quand elle a fini par rentrer, la tristesse dans les yeux d'Audrey était un aveu. La semence de Sylvain faisait son travail.

Clémence. Dire son nom est pire que la mort. Il le répète cent fois, pour mourir une seule. Des larmes bouillantes coulent sur son visage.

Le vieux Noir a posé la main sur son épaule blessée :

« Sais-tu que tu étais mourant quand je t'ai enlevé aux Blancs ? Tu te vidais de ton sang là où le scorpion t'avait piqué. Il m'a fallu beaucoup de travail pour te remettre debout. Prends cette lame. »

Elle est brûlante. Les dizaines de marques sur le manche ressemblent à celles qu'il y avait autrefois sur le couteau de chasse du Forestier.

« La peau brûlée ne sent plus la douleur du monde, dit le vieux Noir. Tu es déjà mort. »

Éric enfonce le métal fumant dans sa joue, jusqu'à ce que la pointe du couteau ait touché l'os. Et il racle, il racle, pour faire taire le bruit fou dans ses oreilles, la fièvre noire. Du sang épais comme de la lave imbibe son uniforme. C'est la chair du scorpion, pas la sienne, qu'il est en train de meurtrir.

Il ne fera pas de prisonniers.

L'harmattan

28 juin 2016

« Il est mort dans la nuit. Entre une heure et sept heures. »

Les fenêtres laissent le vent du glacier s'engouffrer dans la chambre. Qui a pu les ouvrir ? Le médecin d'Isola, assis au bureau, indifférent au froid, rédige le certificat de décès. De temps en temps, il lève les sourcils et se relit d'un air contrarié, comme s'il n'était pas satisfait de ce qu'il a noté – comme s'il y avait une façon plus exacte de décrire cette réalité, de la rendre plus acceptable : *il est mort*. Calixte se tient au chevet du corps. Il fixe les yeux fermés et le visage serein du Forestier.

Il y a des traces humides sur le tapis et sur le sol.

« Pourquoi est-ce que les fenêtres sont ouvertes ? demande Sylvain. C'est pour le corps ? »

Calixte fait non de la tête :

« On n'arrive pas à les refermer. Le mécanisme est cassé.

– L'Ennemi est venu ici, dit Sylvain en s'approchant de l'autre côté du lit. Comment ?

– Je n'en sais rien, fait Calixte. Mais je sais où il est.

– Je t'écoute.

– Mes hommes l'ont pisté et sont en place autour de chez lui. Il n'est pas ressorti depuis qu'il est arrivé. Audrey est à l'école.

– Alors on y va.

– On pense que sa fille aussi est là-bas. Je crois qu'il t'attend.

– Ça n'a aucun sens. »

Le médecin se lève et lui donne un des exemplaires du certificat :

« J'envoie l'autre à la préfecture cet après-midi. Vous pouvez compter sur ma discrétion avec les gendarmes. Toutes mes condoléances, M. Lazar. »

Sur le papier, à la rubrique « Cause du décès », il y a deux mots : Arrêt cardiaque.

« Tout le monde meurt parce que le cœur s'arrête, dit Sylvain. Je veux connaître la vérité.

– La vérité, ce n'est pas mon travail. Je peux vous donner mon opinion : votre père s'est couché, il s'est endormi et il ne s'est pas réveillé. Il n'y a rien dans l'état du corps qui permette d'envisager un autre scénario. Si vous le souhaitez, je peux ordonner une analyse toxicologique. Le PGHM sera alerté. Il suffit d'un coup de fil à l'hôpital.

– Au revoir, docteur. »

Le vent gifle les livres de compte du Forestier. Des feuilles volent dans la pièce comme des oiseaux en cage. L'Ennemi était là : il est entré ici et il est le dernier à avoir vu son père en vie. Sylvain se prend la tête dans les mains. La migraine le tient dans sa tenaille, comme après les séances avec les médecins à l'hôpital. L'Ennemi a trouvé le chemin. Il est l'heure de lui faire face.

« Ça va ? demande Calixte.

– Emmène-moi chez lui.

268

– Tout est prêt.

– Attends. »

Le doigt de son père. L'anneau n'y est plus. La peau semble plus foncée à l'endroit où il se trouvait.

« C'est toi qui le lui as enlevé ?

– Quoi ?

– Son anneau. À la main droite.

– Je n'avais pas remarqué, fait Calixte.

– Et ça ? »

Il y a du sable sur les draps. Sur les habits du Forestier. Dans les creux de son visage et sur ses cheveux. Il y en a de plus en plus, un sable épais et sombre.

« Il est là, dit Sylvain en se protégeant les yeux. Il veut que la nuit vienne.

– Regarde. »

Calixte l'a pris par le bras. Ils sont devant la fenêtre ouverte. En face d'eux, la neige du glacier est devenue rouge.

« Il est là et il m'attend, répète Sylvain. L'Ennemi est dans la maison.

– C'est l'harmattan, dit Calixte. Une ou deux fois par siècle, le vent du désert apporte des nuages de sable par-dessus la mer, puis ils s'échouent sur la montagne. »

Sur le lit, le corps du Forestier ressemble à une statue d'argile en train de sécher. Calixte pose la main sur son torse :

« Ton père disait qu'il voulait voir ça avant de mourir. »

Partout où il reste de la neige, la montagne est rousse. Le Pélevos. Le Pignals. L'hélico tremble dans les rafales. Il fait un dernier passage au-dessus de Sisteron avant de plonger vers Isola. C'est ce domaine que l'Ennemi est venu réclamer, ces arbres et ces bêtes. Il en est une lui-même – un cerf blessé qui ne veut pas mourir. Il a marqué les pics de son sang pour montrer que c'est son territoire. Sylvain ferme les yeux. La migraine tambourine entre ses tempes. La chasse a commencé.

L'hélico se pose sur le terrain de foot de la station, dans le rond central. Un des hommes de Calixte les attend au volant de son 4 × 4.

« Il n'a pas bougé.

– Tout le monde est en place ? demande Calixte.

– Oui. Sauf à l'est.

– Pourquoi il n'y a personne de ce côté ? Je vous avais dit de le cerner.

– La mère de Paulin nous a foutus dehors.

– Elle va rameuter les gendarmes.

– Ça m'étonnerait, patron. »

Ils se garent en face de la maison d'Éric. La bonne femme est assise sur un rocking-chair devant sa porte, carabine à l'épaule. Elle les tient dans sa ligne de mire. Calixte fait signe à Sylvain de jeter un œil à l'étage. Le canon d'un fusil sort de la fenêtre d'angle sur le mur latéral. Paulin. Dans son viseur, les trois tireurs planqués dans le voisinage.

Calixte a un sourire crispé :

« Diane, il y a trop longtemps. Qu'est-ce que tu deviens ?

– Contente de te revoir, Calixte. C'est toi qui te fais rare.

– J'ai beaucoup à faire. Tu sais comment c'est, là-haut.

– N'avance pas. Tu es bien où tu es.

– Et si on posait les fusils deux minutes, pour parler comme des gens civilisés ?

– Elle est bien bonne.

– Je suis sérieux.

– Dis à tes trois cow-boys de retourner à leurs bières, et je verrai ce que je peux faire.

– Ce ne sera pas nécessaire. »

Sylvain a parlé. Sa voix est ferme. Du trottoir, il aperçoit un bout du Pélevos, écarlate sous le soleil de midi. L'Ennemi est déjà chez lui.

« Tiens, fait la voisine. L'héritier est descendu parmi les mortels.

– Diane, s'énerve Calixte.

– Laisse », dit Sylvain en se tournant vers la maison d'Éric.

Dix ans qu'il ne l'a pas vu. L'ombre, la blessure, les mots d'un autre : c'est ce jour-là qu'Éric est mort et que l'Ennemi est devenu son frère. Depuis, il porte son nom. Il a son visage et sa façon de parler. Il attendait le moment de revenir. Audrey et sa fille n'y voient que du feu. Pas Sylvain. Aujourd'hui, c'est lui ou cet imposteur.

« Ne fais pas ça, dit Calixte en le retenant par le bras.

– Je ne suis pas armé ! crie Sylvain devant la porte close. C'est moi que tu es venu chercher. »

L'écho de ses paroles tourbillonne dans les arbres puis s'évapore. À l'intérieur, rien ne bouge. Le vent retombe.

« Il ne sortira pas, conclut Sylvain. Dis aux trois autres de décrocher.

– Non, souffle Calixte.

– Je ne te le demande pas. C'est un ordre.

– Toute ma vie, j'ai veillé sur toi. Ce n'est pas aujourd'hui que je vais m'arrêter. J'ai promis à ton père.

– Il est mort.

– Raison de plus.

– Calixte, dis à tes hommes de rengainer leur artillerie et foutez-moi le camp. Ce qui va se passer ne vous regarde pas. »

C'est un discret affaissement de l'être, dont Sylvain est le seul témoin. Calixte se tient droit, les yeux clairs, le menton haut, la nuque dans l'alignement de sa colonne. Derrière cette apparence, il est en train de s'effondrer. La trahison n'a pas de nom : toutes ces années au service des Lazar, à enterrer leurs sales petits secrets, pour être renvoyé comme un laquais.

D'un regard, Calixte fait comprendre qu'il est temps de rappeler les chiens. Puis il s'éloigne, les épaules basses, un peu plus que d'habitude. Des noms d'oiseaux font grésiller la CB du 4 × 4. Un par un, les tireurs redescendent de leur perchoir et regagnent le véhicule. Ils s'en vont à leur tour.

Une porte claque – c'est la voisine qui est rentrée chez elle. Les mouvements du rocking-chair s'atténuent, sans qu'il s'immobilise tout à fait. Le fusil à l'étage a disparu. La rue est silencieuse. Les arbres aux branches plaquées contre le ciel. Le vent et le soleil. Le rouge de la montagne. Plus rien ne bouge.

Est-ce que c'est la migraine qui lui fait voir des choses impossibles ? Il y a un loup assis devant la maison d'Éric. Il regarde en direction du Pélevos ; l'une de ses pattes arrière est blessée. Il attend son maître, qui commande sa volonté comme il commande au fantôme d'Éric et à tous les êtres de la montagne. De simples véhicules pour l'Ennemi. Sylvain est son dernier adversaire, le dernier homme debout dans ce foutu pays.

Le voilà. Il referme la porte derrière lui, le masque d'Éric sur son visage noir.

« Sylvain, dit l'Ennemi. Mon frère.

– Tu n'es pas celui que tu prétends être.

– Je suis Éric, le fils de Pierre, comme toi. Et comme toi, je pleure ce matin notre père. »

Il a l'anneau du Forestier à son index.

« C'est toi qui l'as tué, parce qu'il ne voulait pas de toi comme fils. Tu es l'Ennemi de notre famille. »

Le métal du pistolet capture un rayon de soleil. Sylvain l'a sorti sans réfléchir et vise la tête du menteur qui se tient face à lui. L'arme étincelle ; elle est le centre de gravité de la rue, de la montagne. Une pression sur la détente et tout rentrera dans l'ordre.

« Tu as dit que tu n'étais pas armé. Ce sont ces mensonges qui nous ont fait du mal. J'y ai cru moi aussi. J'étais revenu pour me venger. Tu peux me tuer maintenant, ou tu peux me suivre pour m'aider à changer le cours des choses. J'ai quelque chose à te montrer. Je ne peux le faire qu'avec toi. »

Des taches noires flottent autour de Sylvain. La migraine l'attaque de tous les côtés, comme il y a dix ans dans la vallée. Il n'a plus de remparts. Plus il serre le pistolet, plus les assauts se font violents. La réalité vacille comme un chêne sur le point de tomber. Il ne peut pas revenir en arrière. C'est le dernier mensonge de l'Ennemi : faire croire qu'il n'existe pas, que la vérité même est mensongère. Il ne faut pas céder à sa ruse. La cartouche est là, bien réelle, dans le chargeur. Ferrand et les médecins l'avaient prévenu que la guerre se terminerait par ce choix. Il suffit de tirer. Tout ce qui lui fait mal disparaîtra.

« Suis-moi, dit l'Ennemi en passant devant lui, le dos large d'Éric comme une invitation à en finir. Et ne te retourne pas. »

Des hommes vont venir

27 juin 2016

Le sol est froid et rugueux. Une odeur de résine va et vient dans l'obscurité. Un jour, à l'adolescence, Sylvain lui a décrit l'intérieur du Bunker : « Il y a du béton partout : le sol, les murs, le plafond. Il a voulu un monde où la chaleur n'existe pas. » Comment Éric est-il entré ? Il escaladait la tête du Pignals quand le vieux Noir a dit : « Je suis le mal nécessaire. Mais pour ce que tu es venu faire ici, tu dois aller seul. Je ne peux pas t'aider. Va et ne me déçois pas. » Il a disparu et Éric s'est retrouvé sous une grande véranda. Les lumières de la station scintillent comme une galaxie au pied de la montagne. Il n'est jamais monté ici : on ne l'a pas invité. Il attend devant la porte du scorpion et c'est comme si la maison retenait son souffle.

« Ne reste pas là », fait une voix de vieillard dans la chambre.

Le Forestier est debout à la fenêtre :

« Aide-moi à ouvrir. Je sens que le vent se lève.

– Tu ne me reconnais pas ? fait Éric.

– Bien sûr que je te reconnais. Vas-y franchement. »

Les gonds des fenêtres finissent par lâcher.

« Tu ne pourras pas les refermer.

– Approche, je veux voir ton visage. Comme tu as changé.

– Tu ne me reconnais pas. »

Le Forestier s'assied sur son lit, avec prudence, le corps chargé de douleur.

« Qui es-tu, alors ?

– Je suis Oumar. Tu te souviens de moi ? Le fils d'Oumar et de Ndiolé.

– Je suis ton père, dit le vieillard. Tu es mon fils. Il y a longtemps que j'aurais dû te le dire. Je t'ai fait du mal et je te demande pardon. »

L'anneau à son index s'est mis à briller. Éric plisse les yeux. Une mollesse fait son nid en lui – la haine a commencé à fondre dans son cœur.

« Oumar, répète-t-il, à qui tu as donné cet anneau. Oumar qui te l'a renvoyé pour te prévenir de son retour. Oumar que ton père a défiguré.

– Prends-le, dit le Forestier en retirant l'anneau de son doigt. Puisqu'il t'appartient.

– Tu me le donnes pour me tuer, comme la première fois ?

– Je te le donne parce qu'il est la chaleur et le temps. Je n'ai pas besoin de te le dire. Avec lui, tu as le pouvoir de réparer le passé. »

Dehors, la nuit titube, un vent sauvage s'abat sur le glacier. C'est la colère des siècles et des morts qui ne trouvent pas le repos.

« J'ai empoisonné tes arbres, dit Éric. J'ai conduit le loup aux bêtes de tes alpages.

– Je sais. Tout est de ma faute. J'aurais dû me révolter contre les folies de mon père. Au lieu de quoi, j'ai infecté mes fils. Prends l'anneau et répare.

– Je ne suis pas venu pour réparer. Je suis venu pour vous tuer, toi et ton fils.

– Je t'attendais pour mourir. Tu peux me tuer si tu veux, mais en tuant Sylvain tu ne feras que noircir notre sang.

– Je serai vengé.

– Oui, et il ne te restera plus qu'à mourir, toi aussi. Prends l'anneau. »

Le vent entre dans la chambre en rafales, renverse les objets, s'enfuit.

« Je suis fatigué, dit le vieillard en s'allongeant.

– Le scorpion continuera à avancer dans la nuit.

– Il n'y a pas de scorpion, fils. Il n'y a que des hommes aveugles. Au lieu d'ouvrir les yeux, ils préfèrent donner un nom de bête au mal qu'ils portent en eux. »

Il a ouvert la paume de sa main, par-dessus la couverture :

« J'ai froid.

– Je vais coincer les fenêtres, dit Éric.

– Ne perds pas ton temps. Viens près de moi. »

Éric pose la main sur la sienne. Elle est déjà glacée.

« Protège le Cerf – tu comprends ? Nos vies n'ont pas d'importance. Il faut sauver le Cerf et tout sera changé. »

Le vent hurle sur la montagne, mais le Forestier ne l'entend pas. Il sourit. Sa respiration ralentit, comme celle de l'animal qui entre dans l'hiver. Éric reste avec lui, le cœur rempli de sa haine fondue, l'anneau au creux de la main.

Un jour bleu et clair s'est levé sur la montagne. Éric entre dans le jardin, par l'arrière. Les lumières de la cuisine sont allumées. Audrey prend son café. Elle boit dans sa vieille tasse jaune, celle qu'il avait tenu à rapporter de chez lui quand ils ont déménagé. Elle s'attache les cheveux. Pas en chignon, comme elle faisait avant – une simple queue-de-cheval. Son visage n'a pas changé. Il y a toujours ce flou, ce vague secret dans ses yeux. Il pensait que c'était la chose la plus importante au monde et il avait tort. Ce qui comptait était là, devant lui. Ce qu'elle laissait voir et pas ce qu'elle cachait. Il pourrait la serrer dans ses bras, une dernière fois, entrer en contact avec sa douceur. Ils n'auraient pas besoin de se parler. Tout leur serait rendu, le temps d'un vrai adieu. C'est impossible. Il est parti comme un voleur et il ne veut pas revenir dans sa vie comme ça, par effraction. Elle s'est habituée à son absence et a appris à vivre sans lui. S'il arrive là où il va, les choses seront différentes. Ce qui s'est passé ne sera plus. Ils ne peuvent pas se retrouver et se perdre à nouveau.

Elle range la vaisselle qui sèche à côté de l'évier. Est-ce qu'elle a allumé la radio ? Pas si Clémence dort encore. Audrey a toujours aimé le silence des matins. Elle rince les couverts et prépare ses affaires de classe. En se passant de l'eau sur le visage, elle lance un regard dans sa direction. Il se cache derrière le tronc de l'érable. La nuit n'est plus là pour l'envelopper. L'écorce est fraîche contre son épaule, l'odeur de la sève et des fleurs, les mille promesses d'un jour de juin. Il faut résister – rien ni personne ne pourra lui faire autant de mal que celui qu'il se fait lui-même en ne se montrant pas, en n'appelant pas son nom.

Une portière claque devant la maison. Le moteur se met en route. Dans la cuisine, les lumières sont éteintes. Elle est partie.

Il y a un mouvement dans les feuillages, léger comme celui d'une bête qui sait où elle va ou ce qui la poursuit. C'est le petit Paulin.

« Encore toi ? dit Éric.

– Je pourrais vous dire la même chose.

– Sauf que je suis chez moi, petit.

– Et moi donc ? »

Le gamin hume l'air. Il lève la tête et scrute le sommet de la montagne.

« Il se passe quelque chose ce matin.

– Des hommes vont venir, dit Éric. Ils seront armés.

– Je vais vous aider.

– Rentre chez toi et préviens ta mère. Ne sortez pas avant que je sois parti.

– On n'est pas fortiches pour suivre les instructions, dans la famille.

– File. »

La porte-fenêtre du jardin n'est pas verrouillée. Éric entre. La matière brute de la maison est là, intacte : la lumière, le ronronnement du frigo, l'odeur des murs. La consolation de ne pouvoir rester : tous les travaux qu'il a faits autrefois – tout a tenu. Audrey et Clémence fabriquent leurs souvenirs dans la maison qu'ils ont ramenée à la vie.

Le chêne de l'escalier craque sous ses pas. Avant son départ, quand la petite dormait encore le samedi ou le dimanche matin, il fallait poser le pied sur le côté des marches pour ne pas la réveiller. La porte de Clémence est fermée. Il l'ouvre.

Le jour traverse les rideaux et baigne la chambre de son calme. Le lit est toujours à la même place, entre les deux fenêtres. Clémence dort sur le côté, une main repliée sous la joue, l'autre le long du corps. Le rythme de sa respiration est plus lent qu'avant.

Au loin, le V8 d'un 4 × 4 bourdonne sur les lacets entre la station et le village. Les hommes de Calixte seront là dans une minute.

Il s'approche. Clémence ne bouge pas. Elle a la bouche entrouverte. Le temps a laissé une marque indélébile sur sa peau et ses cheveux. Pourtant, les yeux fermés, elle porte encore le masque tendre de l'enfance.

Il se penche et pose un baiser sur sa tempe. Quelque chose s'assombrit dans l'air. Le 4 × 4 vient de passer devant la maison et va se garer un peu plus bas dans la rue. Éric hésite : et s'il s'arrêtait là, auprès de celle qu'il a abandonnée il y a dix ans ? S'il n'allait pas plus loin dans la réparation de ce qui n'aurait pas dû être ? Clémence est. L'idée qu'elle ne soit plus, par sa faute à lui, plante un clou au fond de sa gorge – une douleur mille fois plus grande que sa blessure du désert.

Avant de sortir, il se retourne. Clémence a les yeux ouverts et vides, gonflés de nuit, comme un enfant qui n'arrive pas à s'éveiller d'un mauvais rêve.

« Papa ? »

Il ne fait pas un geste. Il ne peut plus revenir en arrière.

« Est-ce que c'est toi ? »

Ce n'est pas lui qu'elle voit, mais une image dans sa tête. Il la laisse se dissiper, ombre sur un mur, reflet dans un miroir, silhouette vague sous la pluie. Elle referme les yeux.

Audrey sera, elle. Même quand il aura changé le cours des choses. Mais Clémence ?

En redescendant l'escalier, il a le regard fou d'un homme qui a tué sa fille dans son sommeil.

La nuit à la nuit

28 juin 2016

Depuis quelques minutes, les oiseaux ne chantent plus. La forêt s'est vidée de son air et remplie de silence. La silhouette de l'Ennemi avance devant Sylvain entre les arbres. Le loup attend son maître sur la berge de la Tinée.

« Là, dit l'Ennemi en le caressant entre les oreilles. C'est bien.

– Qu'est-ce que tu voulais me montrer ? demande Sylvain.

– Regarde. »

L'Ennemi s'est agenouillé au bord de la rivière et a plongé ses mains dans l'eau.

« Eh bien ?

– Regarde. »

Sylvain s'approche, sans baisser son pistolet. Le tintamarre à l'intérieur de son crâne est insupportable. Le silence couturé. L'absence d'air. Et le courant : la rivière coule à l'envers, elle remonte vers sa source.

« C'est impossible.

– Maintenant, regarde le ciel. »

Les nuages au-dessus des arbres, que le vent du désert poussait vers le nord, retournent là d'où ils sont venus.

Le soleil est redescendu derrière le Pignals – à l'est. La poussière bleue de l'aube flotte au-dessus de la rivière.

Sylvain frissonne. Sa montre indique six heures et demie. L'aiguille des secondes tourne en direction du passé.

« Je ne peux pas te laisser faire ça, dit-il en vérifiant que son pistolet est armé. Le jour appartient au jour. La nuit à la nuit.

– Je ne connais pas d'autre façon de réparer, dit l'Ennemi. L'anneau à son doigt est la seule source de lumière autour d'eux. Il fait sombre. Tire.

– Quoi ?

– Fais ce que tu as à faire. Il y a eu un mauvais sort. Des influences, une force extérieure. Appelle ça comme tu veux. Moi, je croyais que c'était le scorpion. Je me trompais.

– Qu'est-ce que tu racontes ?

– C'était une fourche. Le mauvais embranchement a été pris. Nous sommes perdus, depuis le début. Il faut revenir au premier carrefour. À la Rencontre. Tu dois y aller seul, mais je serai avec toi.

– Je n'y comprends rien », dit Sylvain.

Par-delà les cimes, il voit l'hydrogène changé en hélium, la chaleur et le temps. Des étoiles naissent et d'autres meurent. Une déflagration secoue la montagne, assez puissante pour la renverser. L'air revient dans la forêt, et avec lui les bruits des bêtes et des oiseaux.

Il y a une odeur de poudre sur ses doigts. La pression dans sa tête s'est évanouie. Éric est couché sur la rive. Du sang coule de son cœur dans la rivière. Le loup hurle à la mort.

« Qu'est-ce que j'ai fait ? demande Sylvain en prenant la tête de son frère entre ses mains.

– Tu n'avais pas le choix. Un seul fils doit vivre.

– Ils m'ont menti. Je les ai crus. Ils m'ont dit que tu étais l'Ennemi.

– Ça n'a plus d'importance. Nous avons déjoué leur ruse. À toi de réparer maintenant.

– Je ne sais pas où je vais.

– Prends l'anneau. Remonte à la source. Attends là-haut. S'il te rend visite, ne l'écoute pas, ne le crois pas. Pardonne-lui, et demande pardon aux autres. Cherche ton chemin. Rappelle-toi que la vengeance n'est pas le bon. »

Éric inspire une dernière fois l'air froid de chez eux. « Hé hé hé. »

Le regard blanc de l'homme brille dans l'obscurité. Sylvain vide son chargeur, sans réfléchir, brûlé par la haine qui gonfle ses veines. Il recharge. Il écoute. Des pas dans l'eau, à un jet de pierre, en amont. Le loup se met à courir, happé par la nuit. Sylvain ferme les yeux d'Éric et l'embrasse sur le front. Il s'élance le long de la rivière. Le fuyard ricane devant lui, le souffle court. Sylvain gagne du terrain, s'approche presque à portée de tir, puis l'homme s'efface dans un coude de la rivière, derrière un sapin. Juste avant d'arriver à la source, le cours d'eau emprunte une route plus accidentée dans ses derniers méandres, sur le flanc du Pélevos. Qu'est-ce qu'Éric a voulu dire ?

« Pour un poursuivant, dit le vieux Noir, tu as pris ton temps. Le loup est couché à ses pieds. Je n'ai pas que ça à faire, figure-toi. Il faut que j'aille recoller les morceaux de ton frère. C'est une bonne monture, mais il est un peu usé. Dis-moi : qu'est-ce qu'il y a de si intéressant, dans ce trou ? »

Sylvain reprend son souffle. Devant lui, le prodige continue. La Tinée se jette dans le lac avec la force d'un torrent. Les nuages reculent sous la lune. Le passé vient après le présent. Il n'est plus monté ici depuis des années.

« Tu sais comment s'appelle cet endroit ?

– Fils, il ne faut pas traîner. Ma médecine ne lui sera d'aucun secours s'il n'y a plus de sang dans le corps de ton frère.

– Le lac de Terre rouge.

– Hé hé hé. Admirable. Moi, c'est le sang noir de ton frère qui m'intéresse. Allons-y.

– Oumar, le jour va se lever.

– Comment connais-tu mon nom ? »

À l'ouest, au-dessus de Sisteron, le ciel a commencé à rosir.

« Parle !

– Tu ne vois pas ce qui se passe ? demande Sylvain en passant le métal de l'anneau sur sa cicatrice.

– Ton frère va mourir si tu continues à faire le fou. Redescends tout de suite avec moi.

– Il n'y a plus de maître ni d'appel aux armes. J'ai un long voyage devant moi. Le tien s'arrête ici.

– Tu ne sais pas ce que tu dis ! La fièvre joue aux osselets avec les atomes de ta petite tête.

– La guerre est finie. Laisse la haine mourir avec toi. Laisse-les trouver la paix, si tu n'en veux pas pour toi.

– Mais de qui parles-tu, pauvre idiot ? Tu ne vois donc pas qu'il n'y a que toi et moi sur cette montagne ?

– Regarde. »

Derrière le vieux Noir, sur les berges du lac, des centaines d'ombres les observent en silence. Des femmes et des hommes, des enfants, des vieux, des adultes, immobiles dans l'attente.

« Tu oses ruser avec moi ? » dit le vieux Noir en empoignant un caillou.

Sylvain jette son arme dans les eaux sombres du lac :

« Toutes les victimes de mon grand-père sont là. Leur âme ne peut pas trouver le repos tant que cette guerre dure. Elles attendent que tu les ramènes chez elles.

– Toutes ?

– Ton père aussi. Ne perds pas de temps. Et demande-leur pardon pour nous. Pas pour mon grand-père : celui-là peut crever. Pour mon père, pour mon frère et pour moi. »

Le vieux Noir se retourne, le poing serré sur sa pierre. Il se met à chercher parmi les ombres. Elles ont déjà commencé à se dissiper comme un brouillard de petit matin, traversées par la lumière du crépuscule. Le monde va à rebours.

L'anneau attrape les premiers rayons du soleil au-dessus de la ligne de crête et chauffe la peau de Sylvain. Où est Éric ? Il a dit qu'il l'accompagnerait. Le loup hurle, tandis que les ombres disparaissent une à une. Bientôt, il ne reste plus que le glacier, la neige qui tombe en épais flocons, Calixte et ses hommes, trois silhouettes dans le blizzard, la fourrure du louveteau sous ses doigts, et le loup attaché à son pieu qui le fixe en montrant les crocs.

« Allez », rigole un des gardes-chasses, une rasade de génépi gelée sur sa barbe.

Puis il hurle à la mort en regardant le loup. Calixte est ailleurs, les yeux perdus dans la tempête. La peur du petit, dense et silencieuse, vibre comme un moteur. Sylvain le relâche. Il file se blottir contre le ventre de sa mère, avec les autres louveteaux. Le loup cesse de grogner. Il fait de plus en plus froid. La neige est un rideau qui tombe sur la montagne. Sylvain reste seul avec le loup. Où est Éric ? Il fait nuit. Le marquage phosphorescent au milieu de la route. La pluie est un rideau qui tombe sur son pare-brise. Au loin, il y a une voiture garée sur le bas-côté, phares allumés. Il ralentit, s'arrête presque. Il baisse sa vitre. Audrey, en pleurs sur le volant – des mondes effondrés gisent dans ses yeux. Sylvain est déjà passé par là. S'il freine maintenant, avec la pluie, il partira dans le décor. Un camion arrive dans l'autre sens. Il est trop tard pour faire demi-tour. Les feux arrière de la voiture disparaissent dans le rétroviseur. Il accélère.

La neige tombe sur le pull de son père, accroupi à côté du grand cerf blessé. Ses bois tracent deux crevasses sur le ciel blanc. La carabine est chaude et l'odeur de la poudre flotte dans l'air froid. La tache de sang grandit sur la robe de l'animal. Sylvain se tient à côté de Calixte. Il est un jeune garçon au visage lisse. Où est Éric ?

« Papa. »

Il y a une attente dans les arbres. L'œil du cerf fixe Sylvain.

« Papa. »

La jeunesse et les larmes sur le visage de son père quand il se retourne.

« Je veux qu'on le soigne, dit Sylvain. Je ne veux pas qu'il meure. Il va vivre, n'est-ce pas ?

– Il va vivre ? demande à son tour le Forestier, comme s'il ne comprenait pas.

– Calixte peut guérir la blessure.

– Guérir la blessure », répète son père en souriant comme quelqu'un qui va mourir.

Les mots et l'attente s'envolent avec les flocons qui repartent vers le ciel, les nuages qui s'effilochent dans les galeries du temps, au-delà des montagnes. La nuit est un rideau qui tombe sur la vallée de poussière et de mauvaises herbes. L'odeur de poudre, la peur des hommes, noire et poisseuse. Il est Sylvain, Éric, Oumar. Son sang a la même couleur que sa peau. Le fusil pèse lourd contre son épaule et son bras atteint tout juste la base du canon. Les hommes blancs sur leurs chevaux tirent au-dessus des têtes. La foule grossit et les encercle, elle ne recule pas. Oumar bloque sa respiration. Il ne vise plus le cerf ; il vise la tête du préfet. Oumar n'entend pas ce que dit son père, ni la chanson de deuil que les vieux ont entonnée. Il calcule la force du vent. La distance. La vitesse du projectile. Le préfet a collé son revolver sur la tempe de son père. Le métal où brûle le feu de la révolte. Oumar respire. Éric n'est plus. Sylvain n'est plus. À l'origine, il y avait une cellule non divisée. Les chevaux des gendarmes se cabrent, renversant leur cavalier. Les gens du village se jettent sur les Blancs et leur arrachent tout, arme, uniforme, visage. Les jours infectés par le danger et la terreur. Des siècles d'obéissance désossés en un souffle. Oumar ne regarde pas le corps du préfet, couché dans la poussière. Il ne voit que son père, vivant, debout dans le jour qui vient.

Oublie-moi

1990

Elle ouvre les yeux. La bande magnétique de la cassette s'est enrayée. Elle tapote son Walkman – parfois, une petite secousse suffit à le faire repartir. Pas aujourd'hui. Les piles sont à plat. Elle enlève son casque et le pose à côté du Walkman, sur l'accoudoir de la banquette arrière. Elle n'a pas de piles de rechange. Ce n'est pas dans ce coin perdu qu'elle risque d'en trouver. Isola, franchement : on ne pouvait pas imaginer un nom plus adapté.

Il fait froid. En sortant de la voiture, son père a laissé la portière ouverte. Ça n'a pas réveillé sa mère. Ils sont partis de Paris hier soir et ont roulé toute la nuit. Elle écoutait sa musique en regardant les lumières de l'autoroute défiler sur le ciel noir. À un péage, du côté de Lyon, sa mère a dit qu'elle n'en pouvait plus. Son père a pris le volant et allumé la radio. Elle s'est allongée sur la banquette, son blouson roulé en boule sous la nuque. Elle a monté le son du Walkman et fermé les yeux.

Ses parents ne voulaient pas la laisser à Paris pendant les vacances. Elle n'est plus une gamine, pourtant. Elle avait une tonne de devoirs à faire pour la rentrée, le bac français qu'il fallait commencer à préparer. Il y avait

287

ces deux concerts qu'elle ne voulait pas rater. Son père aurait pu se laisser convaincre, s'ils avaient été tous les deux, mais il n'en était pas question pour sa mère. Les vacances, selon elle, c'est fait pour partir en famille. La discussion s'est arrêtée là.

Elle enfile son blouson et descend se dégourdir les jambes dans l'air glacial du matin. Au bout de quelques pas, son mal au cœur commence à se dissiper. Tous ces virages dans la montagne. Le garagiste finit d'installer les chaînes sur les pneus avant de leur R5. Il lève la tête et lui dit bonjour. Elle se contente d'un sourire. De l'autre côté de la station-service, derrière la vitre de la boutique, son père patiente face à la machine à café. Il regarde dans le vide, l'air indécis. Le bas de sa chemise dépasse sous son pull. Le garagiste ramasse ses clés et le rejoint devant la pompe à essence.

Elle frissonne. Une cigarette lui ferait du bien.

« Avec toute cette neige, dit son père. Vous pensez que c'est raisonnable ?

– Montez jusqu'à la Lombarde, répond le garagiste en tendant le doigt, quelque part en direction des cimes. Le col a été dégagé cette nuit. Il n'a plus neigé depuis. Vous serez en Italie avant le déjeuner. »

Le malaise ne la quitte pas malgré le picotement agréable de la nicotine dans sa bouche et dans ses poumons. La montagne est un mur de neige, de pierres et de sapins. On y est enfermé vivant. Elle a beau chercher dans ses souvenirs, elle ne connaît pas de paysage plus angoissant. Son père lui a dit qu'elle changerait d'avis une fois au sommet. Peut-être, mais c'est dans ce bled sinistre que les gens doivent vivre. À deux mille mètres, là où le mur s'ouvre et où on se met à respirer, il n'y a que des animaux. C'est là-haut qu'il aurait fallu s'installer. Une station de ski, les pieds dans la neige et la tête dans le ciel. Elle aurait aimé cet endroit.

Le soleil disparaît derrière un nuage. Une tristesse s'installe, familière, vague, comme celle des rhumes et des dimanches soir. Le temps que le ciel se dégage, un drôle de sentiment l'enveloppe, comme si elle était déjà venue ici – comme si quelqu'un l'observait, quelque part dans les arbres. Elle se retourne. Un cerf est là, sur le flanc de la montagne, immobile et seul comme un dieu. Il la fixe. Son regard laisse voir une peine et une tendresse dont ne sont pas capables les hommes. Elle a l'impression qu'il sait tout d'elle. Il lui souffle des secrets sur une douleur ancienne, inconnue des mortels. Elle ferme les yeux.

Je suis seul sur la montagne nue parce que je l'ai voulu. Je n'ai pas froid. Passe ton chemin et oublie-moi.

Elle compte jusqu'à trois. Le cerf a disparu. Elle se retourne. Plus rien. Le manque, l'idée de l'avoir perdu à jamais lui coupent la respiration.

Le soleil revient. Elle écrase sa cigarette entre deux cailloux.

« Riche idée, de fumer ici. Il y a une cuve de dix mètres cubes juste sous vos pieds. »

La femme porte le même bleu de travail que le garagiste. Une employée ? Elle a un visage trop distingué pour être mariée avec lui.

« Vous m'en offrez une ?

– Tenez.

– Vous avez quel âge ?

– Seize. »

La femme hoche la tête en tirant une longue bouffée. Elle a une beauté fatiguée, à la fois douce et triste.

« Il y a longtemps – »

Elle ne finit pas sa phrase. Ses yeux ne sont pas de la même couleur. Le gauche est marron, l'autre vert foncé.

« Audrey ? Tu viens ?

– Je crois qu'on vous appelle.

– Oui, il faut que j'y aille.

– Au revoir, jeune fille. »

La vision du cerf, encore, comme une ceinture sanglée sur son estomac. Son père salue le garagiste d'un coup de klaxon et s'engage sur la route. La femme s'éloigne derrière la vitre. Dans les petits nuages que dessine la fumée de sa cigarette, il y a le souvenir de guerres et d'amours qui n'ont pas eu lieu.

Table

RÉALISATION : NORD COMPO À VILLENEUVE-D'ASCQ
IMPRESSION : CPI FRANCE
DÉPÔT LÉGAL : JUIN 2020. N° 143401 (2050241)
IMPRIMÉ EN FRANCE

Éditions Points

Collection Points Policier